D1244972

LE RÊVE DE RYÔSUKE

DURIAN SUKEGAWA

LE RÊVE DE RYÔSUKE

roman

Traduit du japonais
par Myriam Dartois-Ako

ALBIN MICHEL

Édition originale japonaise parue sous le titre :
PINZA NO SHIMA

Première édition publiée en 2014 et réédition en 2016
par POPLAR PUBLISHING CO., LTD., au Japon.
Publié en français avec l'accord de POPLAR PUBLISHING CO., LTD.,
représenté par Japan UNI Agency, Inc., Tokyo
et VICKI SATLOW LITERARY AGENCY SOCIETA COOPERATIVA

Si tu ne meurs pas tu vis
Si tu meurs aussi tu vis
Pas de quoi s'affoler
Le lièvre de mer au fond de l'eau
Déploie ses parapluies multicolores

L'arlequin des îles lointaines

1

Les nuages s'étaient déchirés après l'averse et le crépuscule ruisselait de lumière. Les goélands qui tournoyaient au-dessus de la digue, les hommes affairés sur les docks, tout était nimbé d'une auréole resplendissante.

Le ferry à destination de l'archipel d'Aburi avait quitté les quais du port de R. et se dirigeait lentement vers le large.

Depuis la cafétéria où il était attablé, Ryôsuke voyait défiler les installations portuaires, et il avait aussi vue sur une partie du pont et de la coursive. Sur le pont brillaient des flaques pareilles à des éclats de soleil, leurs reflets dessinant des motifs évanescents. Au gré du roulis, les taches de lumière s'évanouissaient et fusionnaient, sans cesse changeantes. Ryôsuke, qui suivait leurs frémissements du coin de l'œil, y superposa fugitivement les premières formes de la vie issue de la mer.

« Vous m'écoutez ? »

L'homme à lunettes assis en diagonale en face de lui le dévisageait. C'était le contremaître, celui qui superviserait les travaux sur l'île.

« S'il vous plaît ! Les travaux de terrassement, ce n'est pas pour les gens qui sont dans la lune. Écoutez-moi attentivement. »

Le contremaître, qui avait dans les quarante-cinq ans, remonta ses lunettes et passa une main sur son bouc clairsemé.

Le ferry venait à peine de partir et il n'y avait encore qu'une poignée de clients dans la cafétéria : un homme aux airs de pêcheur en train de siroter un verre de *shôchû*, de l'eau-de-vie, des femmes d'âge mûr qui bavardaient dans le patois de l'île. Et puis Ryôsuke et le contremaître.

« Ryôsuke Kikuchi, vingt-huit ans… »

Les vibrations du moteur faisaient trembloter non seulement la table, mais aussi le curriculum vitae de Ryôsuke, posé dessus. Le contremaître suivait du doigt chaque ligne manuscrite, comme pour empêcher la feuille de glisser.

« Vous avez abandonné l'université en cours de route. Vous avez le permis de conduire. Emploi précédent, cuistot dans un restaurant. Tiens, j'ai oublié d'aborder la question au téléphone, l'autre jour. C'était quoi, comme restaurant ? Un chinois ?

– Non. Euh… de la cuisine occidentale.

– Je vois. J'adore les spaghettis aux œufs de morue, vous savez en faire ?

– Oui.

– Et l'omelette fourrée au riz ?

– Oui.

– Bien. Et la cuisine française ? Je n'y connais pas

grand-chose, mais, des escargots par exemple, vous savez faire ça ?

– Non, pour ça il faut des escargots particuliers, qui viennent de France.

– Ceux de l'île ne feraient pas l'affaire ? On en a, des tout petits. Petits comme ça », montra-t-il en repliant les doigts, avant de murmurer, plutôt pour lui-même : « De toute façon, les coquillages sont sûrement meilleurs. C'est une île, après tout. »

Il reposa la main sur le CV et reprit :

« Il est difficile de dire quand finiront les travaux, vous devrez rester sur l'île un moment ; vous l'avez bien expliqué à votre famille ?

– Non…

– Pardon ?

– Je n'ai pas de famille. »

Le contremaître saisit la feuille. Derrière les lunettes, ses yeux allaient et venaient frénétiquement.

« Et ce numéro à contacter en cas d'urgence ?

– C'est celui de ma mère, mais… elle n'est plus là.

– Elle est décédée ?

– Oui.

– Et votre père ?

– Depuis longtemps…

– Vous avez des frères et sœurs ?

– Non. »

Les yeux au plafond, le contremaître émit un grognement. Ryôsuke regardait dehors. Les éclats de soleil dansaient toujours sur le pont. Sur la rambarde de la coursive, deux goélands déployèrent leurs ailes et prirent leur envol en même temps. Un jeune homme harnaché d'un sac à dos de surplus militaire couleur kaki passa devant la fenêtre, ses cheveux longs ondulant dans le vent.

« Monsieur Kikuchi, vous avez quelqu'un, peut-être ? » s'enquit le contremaître.

Ryôsuke, surpris, le fit répéter, et il dressa le petit doigt en précisant :

« Une petite amie.

– Non. »

Ryôsuke avait secoué la tête ; le contremaître croisa les bras.

« Ce n'est pas un peu triste ? »

Sans répondre, Ryôsuke afficha un sourire embarrassé. Son interlocuteur, qui ne savait plus quoi dire, clignait des yeux en silence. Au même moment, l'homme aux cheveux longs pénétra dans la cafétéria, balaya la pièce du regard, marcha droit sur eux et dit en se désignant du doigt :

« C'est ici pour moi aussi ?

– C'est pas vrai ! » s'exclama le contremaître, qui avait presque bondi de sa chaise. Il ouvrit son dossier. « Voyons voir, monsieur Tachikawa ? Pour un petit boulot sur l'île d'Aburi ?

– C'est ça. »

Le gars posa son sac militaire par terre et lança d'une voix retentissante : « Salut la compagnie ! »

Le contremaître, perplexe, répétait « C'est pas vrai, ça ! » en regardant tour à tour Tachikawa et son CV.

« Euh… monsieur Tachikawa. Vous ne correspondez pas vraiment à la photographie que vous m'avez fournie. Vos cheveux étaient plus courts, vous voyez ?

– C'est parce qu'elle a quatre ans, cette photo.

– Comment ? Elle doit dater de moins de trois mois, c'est la règle.

– Désolé. Mais c'est bien moi, c'est pareil.

– Non, ce n'est pas pareil. Qu'est-ce qu'ils vont dire, sur l'île ? Vous accepteriez de vous couper les cheveux ?

– Quoi ? Les couper ? »

Tachikawa s'était rembruni. Ryôsuke avait l'impression qu'il jurait intérieurement, « Non mais ça va pas, vieux schnock ? ». Le contremaître parut inquiet un instant, puis il secoua vivement la tête.

« C'est bon. Ça ira. Ça va aller. Seulement...

– Quoi encore ? »

Le contremaître semblait avoir quelque chose à ajouter, mais il se tut, peut-être parce que Tachikawa avait brutalement tiré une chaise à lui.

Il tendit la main à Ryôsuke.

« Salut. Moi c'est Jimmy. »

Bien qu'interloqué par la vivacité du geste, Ryôsuke lui rendit sa poignée de main.

« Ryôsuke Kikuchi. »

Le contremaître se pencha une nouvelle fois sur le curriculum vitae de Tachikawa.

« Jimmy ?

– Ouais, c'était mon nom quand je travaillais dans un club pour femmes. Parce que j'ai un prénom super commun.

– Ichizô Tachikawa », lut le contremaître.

Tachikawa ne s'attendait pas à ce qu'il prononce son nom à voix haute. Il esquissa une grimace en riant.

« Enfin, un prénom plutôt bizarre, quoi. Ichizô. J'suis

pas un conteur traditionnel, non plus. Drôle de prénom, hein ? répéta-t-il en s'adressant à Ryôsuke.

– Alors, monsieur Tachikawa, reprit le contremaître, vous avez vingt-trois ans. Vous avez abandonné les cours du soir au lycée. Tiens donc, vous avez tous les deux arrêté vos études. Test d'anglais Eiken, niveau 4…

– Hé, stop ! C'est pas la peine de tout lire. »

Tachikawa l'avait saisi sans ménagement par l'épaule. Il ne souriait plus du tout. L'autre rentra le cou dans les épaules et s'excusa d'une toute petite voix.

« Vous comprenez, y a des choses, j'ai pas envie que ça se sache.

– Vraiment, je suis désolé », répéta le contremaître avec une courbette.

Mais, allez savoir pourquoi, lorsqu'il reprit sa lecture il se remit à murmurer en remuant les lèvres :

« Club Beau gosse à Hachiôji, Club Château au clair de lune…

– Mais c'est quoi ce type ? lança Tachikawa, un sourcil relevé.

– Oh, pardon. C'est juste que… C'est-à-dire… Vous avez tous les deux abandonné vos études et vous n'arrêtez pas de changer d'employeur… »

Ryôsuke et Tachikawa se regardèrent.

« Bref, j'espère bien que vous resterez tous les deux sur l'île jusqu'à la fin des travaux. De toute façon, comme il n'y a qu'un ferry par semaine, ce n'est pas facile de repartir. Ha, ha, ha ! »

Le contremaître se leva brusquement, souriant de toutes ses dents.

« Bien. Il nous manque encore une personne. Comment ça se fait ? Elle m'a pourtant téléphoné pour accuser réception du billet de ferry, elle devrait être à bord.

– Donc, on est trois pour le boulot ? » demanda Tachikawa.

La question ne s'adressait pas au contremaître mais à Ryôsuke, qui murmura : « On dirait, oui.

– Peut-être que le troisième dort dans sa cabine, reprit le superviseur. Eh bien… tant pis. Nous n'avons qu'à commencer. Mais c'est ennuyeux, les gens qui ne respectent pas les arrangements. Franchement ! »

Il en pousse, des soupirs théâtraux, songea Ryôsuke. Comme pour bien faire comprendre que si l'atmosphère était tendue, c'était la faute de la personne qui n'assistait pas à la réunion.

« Mais c'est quoi, ce type ? » répéta Tachikawa en lançant un regard noir au contremaître qui se dirigeait vers le distributeur de tickets.

Ryôsuke regarda une nouvelle fois par la fenêtre. Les installations portuaires avaient laissé place à la mer d'un bleu presque noir et à la silhouette d'un cap tout en longueur. Le soleil avait baissé. Son éclat disparu, le ciel se teintait peu à peu de gris et de bleu indigo. Les taches de lumière sur le pont s'étaient évanouies.

« Avec un chef pareil, je ne sais pas si je vais rester longtemps… », ajouta Tachikawa.

Pour éviter de se mouiller, Ryôsuke se contenta de répondre « Ah ? le visage tourné vers le cap.

– Ben oui, en plus ils paient au lance-pierres.

– C'est sûr que ce n'est pas très bien payé. »

Il avait soutenu la discussion sans trop s'impliquer ;

l'autre finit par revenir, chargé d'un plateau portant des canettes de bière.

« Allez, trinquons ! »

Les trois hommes disposèrent de quoi grignoter sur la table et trinquèrent pour la forme. Tachikawa battant toujours froid au contremaître, celui-ci n'eut pas d'autre choix que de se tourner vers Ryôsuke pour faire la conversation. Mais Ryôsuke n'était pas bavard. Alors que la foule grossissait peu à peu autour d'eux et que la cafétéria s'animait, à leur table régnait une sorte de malaise.

« C'est bizarre, tout de même. Ne me dites pas que le troisième n'a pas embarqué ! » s'exclama le contremaître.

Il croisait et décroisait les jambes, consultait sa montre. Tachikawa sortit son téléphone portable sur lequel il se mit à pianoter. Quant à Ryôsuke, il s'absorbait dans la contemplation du ciel et de la mer visibles par la fenêtre. Alors que le silence s'était installé, le contremaître se leva soudain.

« Ah, nous vous attendions ! »

L'imitant, Tachikawa et Ryôsuke se retournèrent.

« Pardon. Je suis désolée. »

Une fille aux cheveux courts, chaudement vêtue d'une veste en cuir, s'approchait de leur table.

« Les derniers rayons du soleil couchant étaient tellement beaux que je suis restée sur le pont à regarder.

– Je me demandais comment j'allais faire si vous n'étiez pas à bord », dit le contremaître, l'air soulagé.

Il lui tendit une bière. Elle la prit en riant :

« C'est pour me mettre dans l'ambiance tout de suite ?

– Je rêve ? » fit Tachikawa, se rasseyant.

Une foule d'émotions traversait son visage et il répétait « Je rêve ? », la bouche béante, tel un poisson rouge à la surface de l'eau, puis il ajouta : « Quoi ? Une fille ? »

Bien entendu, Ryôsuke aussi était surpris. Incapable de trouver ses mots, il se contenta de la saluer d'un signe de tête. Elle lui sourit en retour. Elle est jolie, songea-t-il. Même si les piercings qui s'alignaient sur ses oreilles et son nez un peu long pouvaient paraître trop nombreux.

« Bonjour. Je m'appelle Kaoru Motomiya.

– Tu t'appelles Kaoru ? fit Tachikawa en arrangeant ses cheveux d'une main. Tes piercings sur le nez, ça en jette ! Tu jouais dans un groupe ? »

Elle secoua la tête, le gratifiant d'un simple « Bonjour ».

« Nous voilà au complet, annonça le superviseur. Tant mieux.

– J'en reviens pas. Dites-moi, cette Kaoru, elle va faire les travaux avec nous ? Les travaux de terrassement ? »

Comme s'il avait oublié sa mauvaise humeur, Tachikawa, à la fois détendu et provocant, s'était tourné vers le contremaître.

« On lui confiera des tâches variées. Il n'y a pas que les travaux de terrassement.

– Tout à fait. Je voulais d'ailleurs vous interroger à ce sujet, intervint Kaoru.

– On en reparlera plus tard. En temps voulu, d'accord ? » répondit le contremaître en hochant vigoureusement la tête, l'air de dire, parce que du temps, on en aura.

Il fit glisser vers Kaoru une assiette de poulet grillé.

Elle le remercia sans y toucher et, installée à une table voisine, entama sa bière.

« Viens avec nous, on boit ensemble », dit Tachikawa en l'invitant du geste.

Elle afficha un sourire, le nez plissé, et répondit :

« En temps voulu, d'accord ? »

Le contremaître rit aux éclats en lissant son bouc, parce qu'elle avait repris sa formule. Tachikawa lui jeta un regard en grommelant : « C'est pas clair, tout ça. »

Comme pris d'une inspiration soudaine, le contremaître fit mine de poser sur la table ce qui semblait être le CV de Kaoru. Mais, devant l'expression de Ryôsuke et de Tachikawa, il y renonça et déclara :

« Nous ferions mieux de terminer rapidement notre petite fête et de nous coucher tôt ce soir.

– Pourquoi ? » s'enquit Kaoru.

Il regarda la mer qui s'assombrissait.

« Il paraît qu'il va y avoir du gros temps cette nuit. Ça va sans doute tanguer dès qu'on aura quitté la baie. »

Ryôsuke, Tachikawa et Kaoru échangèrent un regard.

« Aïe. À vrai dire, je suis déjà barbouillée. »

Tachikawa esquissa un sourire.

« Si tu veux, j'irai te réconforter.

– Dommage, on ne partage pas la même cabine. »

Le superviseur précisa :

« Désolé, messieurs, mais vous êtes en deuxième classe. Dans le dortoir. Kaoru Motomiya est en première classe. Dans une cabine individuelle. »

Devant le regard entendu échangé par le contremaître et Kaoru, Tachikawa émit un claquement de langue.

« Pff, c'est nul », fit-il avec un haussement d'épaules exagéré.

Ryôsuke vida sa canette et contempla le cap au loin, où des lumières éparses apparaissaient peu à peu.

La mer, en ce mois de mars, se fondait au ciel indigo. Le ferry filait droit vers le sud-ouest, en direction de l'archipel d'Aburi.

2

Le moteur faisait vibrer le sol du dortoir couvert de moquette. Emmitouflé dans une couverture, Ryôsuke sentait dans son dos la puissance à l'œuvre contre la houle.

Le bateau tanguait et roulait, faisant osciller en cadence les vestes des passagers accrochées au mur. À un bout, la manche d'un blouson balayait une carte marine de l'archipel d'Aburi.

D'après cette carte sommaire, l'archipel était constitué, dans l'ordre de proximité avec la métropole, des îles Aburi, Kegara, Sunsaki et Nearai, desservies par le ferry chacune leur tour. Il fallait compter environ onze heures entre le port de R. et Aburi, puis encore deux ou trois heures de traversée entre chaque île, était-il précisé.

« Pourquoi ils vivent dans ce trou perdu, tous ces gens ? » lança Tachikawa, la tête émergeant d'une couverture.

À l'autre bout du dortoir, quelques hommes assis en cercle prenaient un verre, mais autour d'eux, les autres passagers étaient déjà couchés et Tachikawa chuchotait.

Le contremaître avait vu juste : la réunion de prise

de contact n'avait guère duré, Kaoru avait rejoint sa cabine en disant « Je ne me sens pas très bien ». Les trois hommes avaient alors commandé à manger, qui du riz au curry, qui un bol de riz garni d'une côtelette panée, mais le ferry s'était mis à tanguer fortement, pris dans la houle de la mer de Chine orientale à la sortie de la baie. Alors que même les habitués échangeaient des regards, Ryôsuke et ses compagnons avaient tant bien que mal fini leur repas, agrippés à la table. Peu après, le service de la cafétéria avait été suspendu et le contremaître avait regagné sa cabine. On apercevait par la fenêtre la coursive et le pont battus par les embruns. Tachikawa avait insisté pour aller voir la mer démontée, mais la porte menant au pont était barrée d'un panneau « Accès interdit ».

Après, le ferry n'avait plus cessé de tanguer. Les hommes assis en cercle s'esclaffaient chaque fois qu'ils renversaient du *shôchû*. Un voisin âgé faisait la grimace, visiblement mal en point. Ryôsuke, lui aussi, supportait mal de sentir le bateau se soulever puis retomber. Il avait l'estomac retourné et une nausée persistante.

« Euh… *senpai.* »

Tachikawa donnait du « *senpai* » à Ryôsuke, c'est ainsi qu'on appelait ses aînés.

« T'as trouvé ce boulot par les voies normales ? »

Ryôsuke, assailli par un haut-le-cœur, serrait les dents. Il n'avait pas saisi la question et répéta : « Normales ?

– Tu as trouvé ce boulot sur le net ou un truc comme ça ?

– Par une boîte de placement de Shinjuku. »

Une agence spécialisée dans l'intérim. Tachikawa

hocha la tête : « J'en étais sûr. Moi aussi. Cette boîte propose plein de jobs dangereux, non ? Le démantèlement de la centrale nucléaire, des essais cliniques pour de nouveaux médicaments, des trucs comme ça. Des boulots pour lesquels on ne peut pas recruter ouvertement. Et puis, ils ne sont pas trop regardants sur les formalités. Tu sais, le fameux type recherché par la police, c'est chez eux qu'il avait trouvé du travail. »

Il prononça le nom d'un assassin qui avait fait les gros titres. Ryôsuke ne l'écoutait que d'une oreille.

« Bref… je me fais peut-être des idées, mais c'est pas un peu louche, non ?

– Quoi ? »

Tachikawa souleva la tête de son oreiller pour regarder Ryôsuke.

« On parle de travaux de terrassement sur une île au fin fond de nulle part. Pourquoi ils embauchent exprès à Tokyo ? Ils pourraient tout aussi bien recruter des étudiants des préfectures avoisinantes.

– C'est vrai, ça.

– Nos frais d'avion, c'est pas rien, quand même. Et par-dessus le marché, il y a Kaoru. Qu'est-ce qu'une rockeuse comme elle vient faire là-dedans ? Déjà, c'est incompréhensible qu'ils ne demandent aucune expérience et qu'ils prennent indifféremment des hommes et des femmes. Si ça se trouve, on s'est mis dans un sale pétrin.

– Tu crois ?

– Imagine, on arrive sur l'île, et là, en réalité, on leur sert de cobayes. Je me demande si ce n'est pas un piège de ce genre. »

Cela fit sourire Ryôsuke.
« Qu'est-ce qui te fait marrer ?
– Rien, je me disais que ce serait plutôt rigolo.
– Eh ben, t'as peur de rien, toi », dit Tachikawa, qui reposa la tête sur son oreiller en soupirant : « J'ai mal au cœur. Ça craint, le mal de mer, parce qu'on n'y peut rien. Comme sur l'île, sans doute… on n'y pourra rien.
– Oui.
– Alors, dis-moi, t'étais cuistot ?
– Oui.
– Pourquoi t'as arrêté ? En plus, pour un boulot bizarre comme celui-là. T'as fait une connerie ou quoi ?
– Oui… »
Tachikawa releva la tête. « Qu'est-ce que t'as fait ? »
Ryôsuke le regarda droit dans les yeux en choisissant ses mots :
« En temps voulu, d'accord ?
– Quoi ? Si même toi, tu t'y mets… »
Les hommes qui avaient pris un verre se levèrent pour préparer leur couchage. Ryôsuke remonta sa couverture jusqu'au menton et souhaita bonne nuit à Tachikawa, qui insistait. Il murmura encore une fois « Qu'est-ce que t'as fait ? », avant de renoncer, découragé par le silence de Ryôsuke.
Les lumières s'éteignirent enfin, à l'exception d'une veilleuse. L'obscurité enveloppa les hommes entassés dans le dortoir, secoués par les vibrations du moteur. Malgré tout, des ronflements s'élevèrent bientôt. Tachikawa s'était lui aussi endormi.
Ryôsuke fixait des yeux le plafond sombre.
« Qu'est-ce que t'as fait ? » L'écho de la question de

Tachikawa planait encore dans son cœur. Par-dessus sa chemise, il fit glisser ses doigts sur son torse, à gauche, juste sous les pectoraux. Sur une dizaine de centimètres, la cicatrice en ligne droite formait un petit bourrelet. La plaie s'était refermée, mais ni la douleur ni la surprise ressenties quand il s'était tailladé la poitrine ne l'avaient quitté.

Quand il avait abandonné l'université, il avait commencé à travailler dans les cuisines d'un club. Il ne nourrissait pas d'idéaux particuliers en matière de gastronomie. Il s'était simplement surpris à marcher dans les traces de son père décédé, enfilant à son tour une tenue de cuisinier.

Sans expérience ni formation, il avait d'abord été affecté à la plonge. Au fil des restaurants qui l'avaient embauché, il avait peu à peu fini par se voir confier un poste en cuisine grâce à l'acharnement avec lequel il abattait le travail, comme étranger à tout sentiment. Peu loquace, il subissait les invectives de ses supérieurs et de ses collègues parce qu'on ne savait jamais ce qu'il pensait. Cela ne l'empêchait pas de continuer à travailler. Il n'était jamais passé par les cuisines d'un hôtel ou d'un grand restaurant, mais il avait chez lui ses propres couteaux, avec lesquels il s'entraînait à ses heures perdues.

Pourquoi avait-il retourné l'un de ces couteaux contre lui-même ?

Tendances suicidaires.

Ces pulsions, il les avait déjà à l'adolescence. Il évitait donc tout ce qui pouvait le déstabiliser. Il simulait l'indifférence à la douleur et à la morosité, survivait en dressant des barrières invisibles entre les autres et lui. Précisément parce qu'il avait envie de disparaître, il faisait mine d'être insaisissable. C'était la technique qu'il avait fini par adopter pour parvenir à vivre.

Mais ce soir-là, il avait échoué à museler son moi profond. Assurément, l'ivresse y avait été pour quelque chose. Être convoqué par son supérieur pour entendre des reproches – « Ta présence plombe l'ambiance en cuisine » – avait sûrement joué aussi. Comme la fille qui l'avait quitté et son téléphone portable qui ne sonnait que très rarement. Mais par-dessus tout, c'était la détestation de ce monde dans lequel il lui semblait ne jamais devoir trouver sa place et la haine de soi, son incapacité à changer, qui avaient guidé sa main.

Il avait jeté sa chemise dans un coin de la cuisine et, assis en tailleur, s'était enfoncé la pointe du couteau dans le torse, à gauche. Ensuite, il avait fait glisser la lame vers la droite. En un clin d'œil, le sang avait jailli, visqueux, coulant sur la main qui tenait le couteau, dégoulinant jusque sur ses genoux.

À la lumière du néon, il brillait comme de la peinture. Rouge. À peine avait-il posé les yeux dessus qu'une douleur terrible lui avait arraché un cri, et l'arme lui avait échappé des mains. Instinctivement, il avait comprimé la plaie, mais c'était trop tard. La flaque de sang s'élargissait sur le sol de la cuisine. Sa propre disparition, qu'il avait appelée de ses vœux, approchait. Pourtant, bizarrement, sa soif de vivre était encore plus violente que la douleur qui lui transperçait la poitrine.

La main sur la plaie, les doigts dégoulinant de sang,

il avait téléphoné à l'hôpital, brûlant de rage, prêt à défaillir.

Qu'était donc cette soif de vivre qui piaffait en lui, alors qu'il avait voulu mourir ? Son père qui s'était suicidé avait-il lui aussi, au dernier moment, connu ce désarroi ?

Ryôsuke ne trouvait pas le sommeil. Il gardait les yeux rivés au plafond. Une sueur poisseuse lui trempait le dos et les aisselles. L'odeur de cambouis particulière aux bateaux semblait aussi avoir fait son œuvre, et bientôt il fut incapable de résister davantage aux haut-le-cœur.

Il se leva silencieusement et se faufila entre les corps endormis, quittant le dortoir pour se précipiter aux toilettes où il vomit à plusieurs reprises.

Il se rinça la bouche devant son reflet découpé en morceaux dans le miroir fêlé et passa les doigts sous ses yeux cernés. Autour des oreilles, il avait plein de cheveux blancs. Il faisait plus que ses vingt-huit ans, même lui le pensait.

La nausée s'était calmée. Mais, peu désireux de regagner immédiatement le dortoir et son concert de ronflements, Ryôsuke s'engagea dans l'escalier qui menait au pont. Agrippé à la rampe, il gravit une à une les marches qui tanguaient. La pancarte « Accès interdit » était toujours en place, mais il ouvrit la porte sans s'en préoccuper. Une forte rafale le repoussa aussitôt en arrière. Des embruns lui fouettèrent le visage, mouillant instantanément ses cheveux et ses joues.

Cramponné à la rambarde de la coursive, il progressa vers la proue du ferry, la brise marine le cinglant sans répit. Ce n'étaient que ténèbres dans toutes les directions, la mer à l'horizon était parfaitement invisible, tout comme les vagues plus proches. À ses pieds seulement, un feu latéral éclairait la houle. Les vagues enflaient la surface sombre de l'eau, leurs crêtes se brisaient puis s'évanouissaient dans l'obscurité.

Fasciné par leur apparition et leur disparition cycliques, il se remit à transpirer. Car, face à ces gouffres d'eau et de ténèbres, il sentait qu'une partie de lui brûlait encore de sauter, sur une impulsion. Son corps se débattrait dans les tourbillons puissants, aspiré vers les fonds marins. Cette image lui semblait prête à devenir réalité, il voyait jusqu'aux lumières du ferry qui s'éloignait, ignorant le passager passé par-dessus bord.

Les hurlements du vent arrêté par la cheminée du pont l'effrayaient, comme s'il allait en jaillir des paroles blessantes surgies des ténèbres.

Agrippé au bastingage, il fit demi-tour sur le pont obscur, lentement, prudemment. L'énorme nez du bateau pouvait se soulever en diagonale, les embruns pouvaient le doucher, rien ne lui faisait presser le pas. Lorsqu'il ouvrit la porte menant à l'intérieur, il sentit ses forces l'abandonner et il s'affaissa sur les marches.

S'appliquant à respirer à petits coups, il pensa à l'île.

Vivait-il encore à Aburi ?

Cet homme dont sa mère lui avait si souvent parlé, comme s'il avait été son seul espoir dans la vie.

Arriverait-il à lui remettre le paquet enfoui au fond de son sac à dos, à percer le secret de sa naissance ?

Et s'il y parvenait, sa façon d'être au monde changerait-elle ?

3

Lorsque la sirène du ferry retentit, Ryôsuke se débattait dans un épais brouillard. Il avait l'impression d'avoir poursuivi quelqu'un, ou d'avoir été poursuivi.

Le mugissement aigu qui résonnait au plus profond de lui dissipa ce brouillard. Il ouvrit les yeux, sentit les vibrations du moteur dans son corps.

Le ciel blanchissait déjà derrière les hublots, formant des taches rondes de lumière qui tombaient sur les silhouettes recroquevillées sous les couvertures. À côté de lui, Tachikawa se frottait les yeux. Certains passagers ronflaient encore, mais on entendait des murmures :

« On est arrivés ?

– Quelle heure est-il ? »

Un homme près du mur étendit le bras pour consulter sa montre. Ryôsuke repoussa sa couverture et se leva en silence. Il sortit ses affaires de toilette de son sac à dos et gagna la coursive. Le bateau tanguait moins, semblait-il, car il arrivait à marcher sans contracter ses jambes.

« Mesdames et messieurs, bonjour ! Dans une demi-heure environ, nous arriverons à Aburi. Nous avons pris un peu de retard en raison du mauvais temps ; l'accostage est prévu à Minamigasaki vers 6 heures. »

C'était la première annonce de la journée. Ryôsuke quitta le cabinet de toilette et vit Tachikawa qui lui faisait signe de la main dans le couloir. Il affichait une grimace exagérée tout en fourrageant d'une main dans sa longue chevelure.

« J'ai envie de vomir. Ça va, toi ?

– Bof, répondit Ryôsuke avec un sourire forcé.

– On va sur le pont ? On pourra peut-être voir l'île », proposa Tachikawa en montrant les escaliers du doigt.

Après une brève hésitation, Ryôsuke lui emboîta le pas. La pancarte « Accès interdit » avait disparu. Tachikawa poussa la porte de l'épaule.

« Trop classe ! » brailla-t-il.

Ryôsuke fut aussitôt aveuglé par la lumière. Sur le pont, les cheveux au vent, Tachikawa restait planté devant le bastingage.

L'île était là.

Sous un ciel hésitant entre le bleu pâle et le gris s'étendaient à perte de vue les flots à la crête blanche. De cette immensité liquide, infinie, émergeait un relief abrupt.

Ce qu'il avait sous les yeux était à des lieues de l'image qu'il s'était faite d'Aburi. Les pentes étaient trop escarpées, les arêtes trop vives. Des pitons rocheux pointaient çà et là, rivalisant vers le sommet qui les surplombait. En dépit de la verdure qui s'y accrochait, la moitié des parois restait à nu. La falaise tombait à pic jusqu'aux brisants fouettés par les vagues.

Cette île, était-ce vraiment leur destination ?

Il devait y avoir un village quelque part ; Ryôsuke

fouilla le relief du regard. Mais à part l'installation de radiodiffusion perchée au sommet, il n'apercevait aucune construction. Ni maison, ni route, ni port.

« Sacrée falaise, hein ? » fit le contremaître, arrivé derrière eux à leur insu.

Il se tenait le dos rond, un mégot entre les lèvres.

« Sans blague, c'est ça, l'île ? demanda Tachikawa, sans même le saluer.

– Oui. C'est Aburi.

– Mais ça a l'air inhabitable.

– À une époque, c'était important qu'elle paraisse inhabitée, paraît-il.

– Pendant la guerre ? s'enquit Ryôsuke.

– Non, d'après ce qu'on m'a raconté, elle est habitée depuis bien plus longtemps. Vous finirez bien par en entendre parler. Bref, le paysage est hostile, mais l'île a plein de bons côtés.

– Par exemple ? »

Tachikawa semblait intéressé.

« Eh bien… par exemple… il n'y a pas de serpents venimeux, c'est une chance.

– Quoi, vous appelez ça un bon côté ?

– Oui, puisque cela nous permet de travailler sereinement. Seulement, il n'y a pas d'hôpital non plus. »

Tachikawa fronça les sourcils, surpris.

« Et comment on fait si on se blesse ?

– Il n'y a pas de policier, ni de boutique. Et pas de réseau. Désolé.

– Quoi ?

– Donc, surtout, ne vous blessez pas », conclut le

contremaître d'un air grave, avant de repartir vers les cabines.

Où, sur cette île montagneuse, vivait donc la personne qu'il cherchait ?

À côté de Tachikawa, Ryôsuke scrutait le paysage désolé.

Le bateau entreprit de contourner un promontoire escarpé, continuant sa course vers le sud-est. La végétation palpitait sous le vent, la verdure accrochée aux rochers s'ébrouait dans la lumière matinale. De nombreux oiseaux voletaient. Sur le flanc de la paroi élancée béaient deux cavités d'un noir d'encre, bouches ouvertes sur un autre monde, peut-être des grottes.

« Si ça se trouve, y a King Kong là-dedans », remarqua Tachikawa à voix basse.

Au même moment, Ryôsuke crut voir quelque chose bouger à mi-pente de la falaise ; il regarda plus attentivement. Dans la végétation, on apercevait des points noirs mouvants.

« Tiens.

– Qu'est-ce c'est ? King Kong ? »

Ryôsuke tendit le doigt et Tachikawa allongea le cou.

« Non, mais… »

Ryôsuke tenta de lui montrer précisément l'endroit mais, curieusement, les points noirs avaient déjà disparu.

« C'était quoi ? Des oiseaux ? » demanda Tachikawa.

Ryôsuke pencha la tête, dubitatif. Il était pourtant sûr de lui, mais il avait beau continuer à surveiller, plus rien n'apparaissait sur la falaise.

« Waouh, quel paysage ! »

Kaoru était arrivée. Vêtue de sa veste en cuir et de son jean troué, elle s'agrippait au bastingage.

« Kaoru, t'as vu cette île, c'est dingue ! » fit Tachikawa en secouant la tête, sans s'embarrasser de formalités.

Pour une raison obscure, il afficha une pose victorieuse. Kaoru l'imita, puis elle salua Ryôsuke en souriant. Il murmura un bonjour en retour et reporta son regard vers la mer. Kaoru s'installa à côté de lui.

« Vous croyez qu'il y a des gens, sur cette île ? »

Comme Ryôsuke et Tachikawa, cela semblait la turlupiner. Mi-émerveillée mi-désespérée, elle ajouta :

« On s'est fourrés dans un drôle d'endroit.

– Paraît qu'y a pas de réseau, lui apprit Tachikawa.

– Vraiment ?

– Vraiment. Pas une seule boutique, non plus. »

Elle laissa échapper un rire navré. Soudain, la sirène du ferry mugit, juste au-dessus d'eux. Instinctivement, ils se bouchèrent les oreilles. Seul Tachikawa, pugnace, hurla « Teeeeerre ! ».

Le bateau, ballotté par les flots, acheva de contourner le promontoire. Le paysage changea brusquement. Dans la brume matinale s'étirait une longue digue. Sur les pentes apparurent enfin, ici et là, des maisons et des champs.

4

Minamigasaki, sur l'île d'Aburi.

Derrière la digue immense se nichait un petit port. Pendant que le ferry approchait du quai, les passagers, sans doute des habitants de l'île, avaient quitté leurs cabines. Ils s'étaient massés dans le passage qui menait à la sortie. Tous disparaissaient sous une montagne de ballots, tels les colporteurs du temps jadis.

Depuis la coursive, on voyait l'embarcadère. Des camionnettes étaient alignées sur le quai ; des hommes en bleu de travail, coiffés de casques jaunes, tiraient sur les cordages lancés depuis le bateau.

Ryôsuke et ses compagnons avaient rejoint les autres passagers, qui les observaient du coin de l'œil.

« J'aime pas trop ce genre de situation », murmura Tachikawa en haussant les épaules.

Kaoru émit un petit rire gêné. « On est comme des nouveaux à l'école. »

Ryôsuke, faisant mine de balayer du regard les alentours, détailla rapidement les visages autour de lui. L'homme qu'il cherchait avait peut-être pris le ferry pour aller faire des achats. Ce n'était qu'une tentative confuse, car son apparence et son visage d'aujourd'hui lui étaient inconnus.

C'est alors que le contremaître fut pris à partie. Trois hommes arrivés en dernier s'esclaffèrent sans se gêner à la vue des trois jeunes gens. C'était un rire moqueur, désagréable, songea Ryôsuke. Ils avaient sans doute bu jusque tard dans la nuit, car ils semblaient encore pris de boisson. L'un d'entre eux, un type à la carrure imposante, fit signe au contremaître d'approcher et lui dit :

« Dis donc, tu nous as encore ramené des rigolos… »

Tachikawa sursauta et échangea un regard avec Ryôsuke. Le contremaître, la tête basse et le dos rond, parlait avec celui qui l'avait interpellé. Le grand type fit une remarque en riant et lui assena une claque sur l'épaule. Sous le choc de ce qui était presque un coup de poing, son corps flancha. Ce qui ne l'empêcha pas de sourire servilement aux trois hommes tout en portant la main à l'endroit du coup. Devant ce spectacle abject, Ryôsuke détourna les yeux. Il entendit alors une nouvelle remarque :

« M'étonnerait qu'ils fassent l'affaire, ceux-là encore. »

C'était toujours le grand type qui avait parlé, semblait-il. Ryôsuke se retourna ; Tachikawa, un sourcil relevé, dévisageait les hommes. Ils avaient surpris son regard. Ryôsuke s'approcha de lui et murmura : « Mieux vaut ne pas s'en mêler. » Kaoru ajouta : « Laisse tomber, andouille », et Tachikawa, le visage fermé, regarda vers l'embarcadère.

Le ferry accosta, on jeta la passerelle. Ryôsuke et ses compagnons débarquèrent en compagnie des autres passagers, en file indienne. Apparemment, tous habitaient sur l'île. Après avoir échangé quelques mots avec les hommes en bleu de travail, chacun gagnait la camionnette qui l'attendait. Le trio qui s'était fait remarquer descendit en dernier et disparut à l'autre bout de l'embarcadère, leurs encombrants ballots sur le dos.

Un peu à l'écart, Ryôsuke, Tachikawa et Kaoru attendirent que le matériel pour les travaux soit déchargé.

La brise soufflait par bourrasques. Le vent était déjà tiède pour la saison.

À l'extrémité de la jetée réservée aux petites embarcations, étaient amarrés une dizaine de bateaux de pêche. Derrière eux, une route en lacet sillonnait la pente verdoyante. Toutes les camionnettes gravissaient cette route qui menait sûrement au village.

« Eux aussi, ils habitent sur l'île ? » demanda Kaoru à propos des hommes qui déchargeaient le ferry.

Peut-être à cause de l'altercation, le contremaître n'était pas dans son assiette. Une cigarette aux lèvres, il semblait ailleurs. Il ne parut pas comprendre la question de Kaoru, qu'il fit répéter. Après un silence, il acquiesça.

« Quand le ferry arrive, tout le monde participe au déchargement. Les hommes sont tenus d'assurer la répartition des provisions entre les foyers et de les charger dans les camionnettes.

– Alors nous aussi, il faudra qu'on aide ? s'enquit Tachikawa.

– Non, parce que vous êtes des saisonniers. Si vous vous installiez sur l'île, ce serait différent. »

Ryôsuke scruta à nouveau le visage des hommes en bleu de travail, un par un. Ils étaient bronzés, le visage et la nuque d'un rouge cuivré. Mais il ne voyait pas un seul jeune. Ils avaient tous au moins la quarantaine.

Eux aussi semblaient s'intéresser aux saisonniers. Ils leur lançaient de brefs coups d'œil entre deux opérations. Lorsque le matériel pour les travaux eut été déposé par la grue et que les jeunes gens se mirent à le charger dans le véhicule, ils ne s'en cachèrent plus, arrêtant carrément de travailler pour les observer transporter des brassées de bâches bleues. Néanmoins, dès qu'ils risquaient de croiser leur regard, ils détournaient les yeux.

Bien entendu, c'est Kaoru qui attirait le plus l'attention. Cela n'a rien d'étonnant, songea Ryôsuke. Elle avait ôté sa veste en cuir pendant qu'ils chargeaient le matériel, se plaignant d'avoir trop chaud, et elle ne portait plus qu'un tee-shirt. Ses bras blancs qui émergeaient des manches courtes détonnaient terriblement sur l'embarcadère. En plus, sur son bras droit, était tatouée une petite rose solitaire qui, à chacun de ses mouvements, apparaissait à la lisière de la manche.

La camionnette devait faire un premier trajet jusqu'au village pour déposer le chargement, après quoi elle reviendrait les chercher. Le contremaître monta à bord avec tout l'attirail, laissant les trois jeunes gens sur l'embarcadère. Au bout d'un moment, Kaoru s'éloigna, seule. Elle regardait les bateaux et les opérations en cours, se rapprochant insensiblement des villageois au travail. Soudain, un homme rondelet l'aborda. Ryôsuke et Tachikawa le virent lui adresser la parole, et Kaoru lui répondre. Elle revint vers eux, l'air perplexe et l'homme replet sur ses talons.

« C'est qui, lui ? murmura Tachikawa à l'oreille de Ryôsuke au moment où l'homme les rejoignait.

– Bah alors, vous êtes qui vous, des nouveaux ? »

Sous le casque, son visage joufflu était souriant, ses yeux mobiles. Il portait une grande gibecière en toile ornée du mot « Courrier » imprimé en caractères noirs.

« Bah alors, toi, t'es une fille ? »

Il tentait d'approcher Kaoru, réfugiée derrière Ryôsuke et Tachikawa.

« Oui. Et alors ? » lui répondit-elle sèchement.

Il se mit à loucher. « Pouah ! » lança-t-il soudain, et il tira la langue.

« Toshio, arrête ! cria l'un des hommes en bleu de travail. Reviens ! »

Les autres lui faisaient signe. Mais le dénommé Toshio répéta : « Pouah !

– Qu'est-ce que vous voulez ? » lança Tachikawa.

Avec Ryôsuke, il se tenait devant Toshio, qui les dévisagea à tour de rôle. Sur ces entrefaites, le contremaître arriva. Il baissa la vitre du siège passager et interpella Toshio qui, avec un sourire et une pirouette, repartit en courant vers les autres travailleurs.

« Drôle de type..., commenta Tachikawa avec un regard perçant aux villageois en train de s'affairer.

– C'est bon. Laisse tomber », dit Kaoru.

Elle se passa une main dans les cheveux, murmura à son tour « Pouah ! » et tira la langue.

Le patron de l'unique auberge de l'île était au volant. C'était un homme déjà âgé, qui répondit d'un simple hochement de tête au salut sonore de Tachikawa. Les trois jeunes gens furent invités à s'installer sur le plateau arrière. Peut-être plus à l'aise avec eux qu'avec le conducteur, le contremaître vint s'asseoir à côté de Ryôsuke.

La route depuis l'embarcadère était goudronnée, mais le revêtement était effrité et parsemé de touffes d'herbe. Ils avaient à peine démarré que le véhicule brinquebalait déjà dans tous les sens. Ryôsuke, Tachikawa et Kaoru se cramponnèrent au rebord du plateau. Le contremaître, tout aussi secoué qu'eux, s'excusa :

« Désolé. Non seulement il n'y a pas de terrain plat, mais en plus la route est dans un état… »

Il montra du doigt les hauteurs qui les surplombaient.

« L'île a beau être minuscule, cette montagne, le mont Aburi, culmine à six cent soixante mètres. De ce côté, il est boisé, mais la façade orientale, comme vous avez pu le constater depuis le ferry, est un à-pic. Il est impossible de faire le tour de l'île à pied.

– Il y a combien d'habitants ? » demanda Kaoru.

Le contremaître plissa les yeux et répondit évasivement :

« Euh… je ne connais pas le chiffre précis, mais je dirais un peu moins de trois cents. En comptant les enseignants détachés.

– Parce qu'il y a une école ? intervint Tachikawa.

– Oui, même si elle est à deux doigts de fermer…

– Il y a aussi des gens de l'extérieur qui viennent s'installer ici, non ? demanda Ryôsuke.

– Eh bien… les jeunes ne restent pratiquement jamais.

– C'est sûr, parce qu'on dirait bien qu'il y a des gens pas commodes, ici. »

Le contremaître se tourna vers Kaoru, surpris.

« Vous savez, tout à l'heure, avant de descendre du ferry. »

Tachikawa ajouta, l'air pincé :

« Ils se sont moqués de nous. "Encore des rigolos", qu'ils disaient. »

Le contremaître, qui semblait avoir enfin compris, acquiesça.

« Oubliez-les. Le grand type, Mutsu, il n'a rien dans la cervelle. Il ne comprend pas qu'il y a des choses qui se disent et d'autres non.

– Il a aussi dit que ça l'étonnerait qu'on fasse l'affaire », insista Kaoru.

Le contremaître agita les deux mains en signe de dénégation.

« Je vous assure qu'il n'y a pas de quoi s'en faire. C'est juste que… En fait, on a eu des problèmes avec d'autres saisonniers. Au début, ils ont bien travaillé, ils ont creusé le trou pour le réservoir, mais après… Ils avaient apporté de la drogue et ça a fichu le bazar. Du coup, on les a renvoyés avant qu'ils ne causent davantage de problèmes. Mais l'île place de grands espoirs en vous qui leur succédez, y compris pour les travaux. Bref, s'il vous plaît, tenez-vous à carreau. Vous êtes sous ma responsabilité et j'ai déjà bien assez à faire comme ça. Limitez-vous à l'alcool. On a du bon *shôchû*. »

Il lança un regard plein d'espoir à Ryôsuke.

« Monsieur Kikuchi, comme vous êtes le plus âgé,

j'aimerais vous demander de chapeauter l'équipe. Mais vous n'êtes pas très causant… Vous êtes plutôt timide ?

– Non… mais… »

Ryôsuke avait ouvert la bouche, sans rien trouver à dire. Il se frotta le crâne, embarrassé.

« Dis, c'est vrai que tu étais cuistot ? » demanda Kaoru, comme pour lui sauver la mise.

Elle s'était penchée vers lui. Au même moment, la camionnette s'engagea dans un virage serré. En l'absence de garde-fou, on avait l'impression qu'on allait tomber tout droit dans le ravin. Ryôsuke et ses compagnons s'agrippèrent précipitamment au rebord du plateau. Le contremaître reprit :

« On verra ça en temps voulu, d'accord ? Si vous vous intégrez bien, personne n'aura besoin d'être chaperonné. Ah, j'oubliais. Tout à l'heure, un drôle de type vous a abordés, n'est-ce pas ?

– Et alors ? fit Kaoru d'un air vindicatif.

– Le type à la face de lune. Il s'appelle Toshio.

– Ah, M. “Bah alors”. C'est qui, lui ? demanda Tachikawa.

– Comment dire… »

Il tira une cigarette de sa poche de poitrine, la coinça entre deux doigts et la fit tourner à hauteur de sa tempe.

« Ce n'est pas un mauvais bougre. Soyez patients avec lui. Vous vous habituerez. Je dirais même qu'à la différence de Mutsu, il pourrait devenir votre ami. »

Les trois jeunes gens acquiescèrent en silence. Le contremaître alluma sa cigarette.

Ensuite, il y eut une série de virages en lacet. Dans la camionnette ballottée de droite à gauche, Ryôsuke et ses compagnons se tenaient serrés pour garder leur équilibre. Le contremaître, en soufflant la fumée, se mit à rire à gorge déployée sans raison apparente.

« Vous savez, Toshio, c'est quelqu'un d'important sur l'île. C'est le préposé à la distribution du courrier. »

5

Peut-être à cause des vents marins, la peinture des clôtures en bois et des façades des maisons s'écaillait, tout était en mauvais état. Le paysage donnait à Ryôsuke l'impression de s'être fourvoyé dans un village de pionniers quelque part à l'étranger. Dans les friches, des vaches paissaient. C'étaient des vaches à viande, rousses.

Lorsque la route au revêtement incertain laissa place à un étroit chemin de gravillons, la camionnette s'arrêta. Le patron de l'auberge quitta le volant et annonça, toujours aussi impassible : « Il y a du sashimi de coureur arc-en-ciel pour le petit déjeuner » en désignant du doigt une bâtisse à un étage aux murs de tôle ondulée.

Le contremaître ne logeait visiblement pas à l'auberge, il avait disparu une fois le matériel déchargé. Les trois saisonniers s'attablèrent dans la salle à manger. Une vieille femme aux cheveux blancs vint les servir : omelette sucrée, soupe miso à la laitue de mer, légumes en saumure avec un bol de riz. Et, au milieu de la table, un grand plat de poisson cru à la chair rose pâle. « C'est du coureur arc-en-ciel pêché hier », précisa-t-elle.

Bien que Ryôsuke n'ait pas encore complètement récupéré du mal de mer, la chair maigre et légèrement sucrée du poisson, agréable en bouche, lui ouvrit l'appétit. Tachikawa fit un geste de ses baguettes à l'adresse de la vieille femme : « Ça se mange sans faim. » Le seul désagrément était l'odeur apportée par chaque coup de vent ; Kaoru ne détachait pas le regard de la fenêtre.

« Ça sent la bouse de vache, non ? » remarqua-t-elle en fronçant le nez.

Cela fit rire la vieille femme.

« Ici, il va falloir t'y habituer. »

À contrecœur, elle ferma à demi la fenêtre et dévisagea Kaoru.

« Dis-moi plutôt, tes trucs, là. Tes parents ne disent rien ?

– Ça ? demanda Kaoru en effleurant le piercing sur son nez.

– Pourquoi tu maltraites ton corps comme ça ? »

Elle s'était penchée en avant, attendant une réponse ; quand elle comprit qu'elle ne gagnerait rien de plus qu'un sourire, elle regagna la cuisine. Une expression indéchiffrable sur le visage, Kaoru regarda successivement Tachikawa et Ryôsuke.

Tachikawa écarta ses longs cheveux d'un côté de son visage, dévoilant son oreille en silence. Lui aussi portait un piercing d'un rouge luisant.

« Parfait ! » commenta Kaoru avec un petit rire.

Ensuite, Tachikawa et Kaoru interrogèrent Ryôsuke du regard. Celui-ci désigna du doigt son oreille nue et leur sourit d'un air embarrassé. Tachikawa saisit avec ses baguettes une tranche de poisson cru et fit mine de l'accrocher à l'oreille de Ryôsuke. Kaoru éclata de rire.

« J'espère que le Président vous aura à la bonne », lança la vieille femme.

Elle était de retour à leur table, portant une théière sur un plateau. Ils acquiescèrent à l'unisson, sans trop comprendre de quoi elle parlait.

« Le Président ? C'est qui, ça ? demanda Tachikawa.

– Eh bien, c'est le président de l'association des habitants de l'île. Il veut vous voir.

– Ah bon ? »

Ils échangèrent un regard. Un coup de vent pénétra par la fenêtre entrouverte. Les puissants effluves de bouse de vache flottèrent une nouvelle fois dans l'air ; Kaoru se couvrit le nez d'une main.

Une série de sentiers louvoyait entre les maisons et les fourrés. Tous en pente raide, et déserts. Ils les sillonnaient d'un pas pesant, chaussés des lourdes chaussures de sécurité que le contremaître leur avait fournies.

« Sans blague, on capte vraiment rien. »

Tachikawa pointait dans toutes les directions son téléphone portable qu'il avait sorti de sa poche en braillant : « J'y crois pas !

– L'année prochaine, on devrait avoir du réseau, s'excusa le contremaître.

– Je vais pas tenir, moi. Je vais peut-être me barrer par le prochain ferry.

– Mais non, vous venez à peine d'arriver. Et puis on a accès à internet, avec un modem.

– Ouais, mais j'ai que mon téléphone. Ça craint. »

Quelques pas plus loin, Kaoru examinait les environs. Elle dit :

« C'est le même nom de famille sur toutes les maisons. Il n'y a que des Hirabayashi. »

Ryôsuke hocha la tête. Lui aussi l'avait remarqué.

« À part les gens venus d'ailleurs, ici, tout le monde s'appelle soit Hirabayashi, soit Hirano, précisa le contremaître.

– Mais vous ne vous embrouillez pas, à tous porter le même nom ? »

Kaoru effectua un tour sur elle-même. Elle semblait prendre plaisir à la lumière aveuglante du soleil.

« On s'y perd un peu, alors on utilise des sobriquets.

– Des sobriquets ? C'est quoi, ça ? fit Tachikawa, son portable à la main.

– Ça ne vous dit rien ? Vous n'avez pas appris ça à l'école ?

– Qu'est-ce que vous insinuez ? » rétorqua Tachikawa en haussant les sourcils.

Le contremaître se frotta le crâne d'un air embarrassé.

« Non, évidemment que ça ne vous dit rien. Vous êtes jeune.

– Écoutez-moi bien, chef. » Tachikawa s'était approché de lui, le poussant de l'épaule. « Moi, j'ai arrêté le lycée en cours de route.

– D'accord, d'accord, pas de quoi en faire un plat », marmonna le contremaître. Il sortit une cigarette de sa poche de poitrine et se racla bruyamment la gorge. « Bon… bref, ici, plus qu'un sobriquet, c'est un surnom choisi par commodité, par exemple Kami pour celui qui vit sur les hauteurs ou Michinaka pour celui qui habite à mi-chemin.

– Ç'a toujours été comme ça ? s'enquit Kaoru.

– Il paraît, oui. Ou alors, c'est le Président qui décide.

– Pardon ? fit-elle.

– Il arrive que le Président décide tout seul.

– C'est un type si extraordinaire, ce Président ? » demanda Tachikawa.

En recrachant la fumée de sa cigarette, le contremaître leur mit sous le nez le magnum d'alcool qu'il transportait depuis leur départ de l'auberge et baissa brusquement la voix :

« Sur cette île, c'est le parrain. S'il vous prend en grippe, vous ne pourrez pas rester ici. C'est pareil pour nous, si on lui tient tête, on peut dire adieu à son travail.

– Même dans l'administration ? » interrogea Ryôsuke qui, pour une fois, avait pris la parole.

Le regard du contremaître se troubla.

« L'administration… C'est quoi, au fond ? À force, on ne sait plus trop. »

Ils gravirent une côte, et lorsqu'au détour d'un tournant ils arrivèrent en vue d'un grand cycas du Japon, le contremaître se redressa. Une imposante demeure se dressait devant eux, bien différente des maisons du village. Ses tuiles orangées brillaient. Une étable jouxtait le portail, dans laquelle ruminait une vache, formidable masse de muscles d'un noir luisant.

« Qu'est-ce que tu viens faire ? fit soudain une voix grave. Ah, tu me les as amenés ? »

Ils se retournèrent et découvrirent un homme d'âge mûr, bedonnant. Il portait un bleu de travail et son crâne rasé faisait ressortir d'épais sourcils au-dessus d'yeux noirs au regard dur.

« Bonjour, monsieur le Président. Désolé de vous déranger de si bon matin. Voici les nouveaux saisonniers. Nous nous en remettons à votre bonté. »

Le contremaître le salua bien bas, s'inclinant de tout son buste. Ryôsuke et ses compagnons, suivant son exemple, s'inclinèrent eux aussi. Kaoru murmura d'une voix rauque « monsieur le Parrain ».

Le Président l'avait peut-être entendue, car il la dévisagea, les lèvres pincées. Puis il se tourna brusquement vers Ryôsuke, qu'il interrogea :

« Tu es un peu plus âgé que les autres, non ? C'est toi, le cuistot ?

– Oui.

– C'est quoi ta spécialité ?

– Je cuisinais principalement des plats occidentaux.

– Pourquoi as-tu arrêté ? »

Ryôsuke baissa les yeux. Il ouvrit la bouche, il fallait répondre, mais les mots lui faisaient défaut. Le Président, qui l'observait en silence, se détendit.

« C'est bon, va. À chacun ses raisons. Tout ce que je vous demande, c'est de mettre du cœur à l'ouvrage. Ici, c'est donnant-donnant. Vous travaillez pour l'île, l'île vous accorde son soutien. Pendant la journée, ce sera du travail de force, parfois dur. Et les gens d'ici ont du caractère, vous risquez de pas vous entendre avec tout le monde. Avant de péter un câble, venez me voir. Chez moi, le *shôchû* coule à flots. On boira ensemble le soir, à la bonne franquette. »

Son discours terminé, il assena une claque sur l'épaule

de Ryôsuke et rit à gorge déployée. Ryôsuke se borna à acquiescer, mais le Président fit le geste de boire.

« J'ai un ado à la maison. Tu pourrais lui parler de Tokyo. »

Au même moment, la porte d'entrée s'ouvrit. Un garçon en uniforme de collégien surgit de la maison. Son père l'interpella, mais lui, après s'être mis au garde-à-vous et avoir exécuté une courbette à la cantonade, partit en courant.

« Il est mal élevé, désolé. C'est mon fils, Hisao. »

Le garçon avait hérité des épais sourcils paternels. Mais il avait le corps délié et il était plus grand.

« Il quittera l'île l'année prochaine, pour entrer au lycée.

– Vivre en pension en métropole, c'est le rêve, n'est-ce pas ? dit le contremaître en se frottant les mains.

– Avant ça, il va falloir organiser sa cérémonie de passage à l'âge adulte. »

6

Au pied de la montagne se dressait un petit temple abandonné. Autour du bâtiment principal et du minuscule sanctuaire attenant, tous deux délabrés, les herbes folles et la mousse prospéraient. Les pierres tombales alignées derrière étaient émoussées, tout arrondies.

Le sentier menant au chantier débutait là. Après une courte marche à travers bois, on débouchait sur une clairière qui abritait le nouveau réservoir d'eau. Il y avait une pile de conduits en PVC et un mini-bulldozer de la taille d'une petite voiture. Les trois saisonniers allaient reprendre les travaux de terrassement avec un groupe de volontaires de l'île, pour enfouir les conduites de raccordement à la citerne d'eau potable. Ils creuseraient une tranchée jusqu'aux abords du village, sur un tracé délimité par des cordeaux.

Sur cette île où les puits ne suffisaient pas à assurer les besoins en eau potable, les gens avaient toujours recyclé l'eau de pluie. D'après les explications du contremaître, les vieilles installations de collecte montraient des signes de faiblesse et fuyaient abondamment. Les réparations effectuées par les villageois ne suffisaient plus et, durant un épisode de sécheresse quelques années plus tôt, ils avaient dû faire venir de l'eau par le ferry. Il avait alors été décidé de construire un deuxième réservoir, mais la préfecture rechignait à donner son accord. Pour finir, le Président avait investi les locaux du Bureau préfectoral des îles isolées : il avait fait changer d'avis les fonctionnaires en les menaçant de se faire hara-kiri sur place.

« C'est sûr qu'il a un sacré charisme », commenta Tachikawa entre deux coups de bêche.

Kaoru, venue leur apporter à boire, renchérit :

« On sent l'homme à poigne, c'est clair.

– Ryôsuke en a perdu sa langue. Il te fait flipper ou quoi ?

– Non... Je... Oups ! »

Ryôsuke tentait de soulever sa pioche plantée dans une racine d'arbre, lorsqu'il tomba à la renverse.

« Ne vous blessez pas ! » cria leur chef, occupé à faire de la soudure un peu plus loin.

À côté de lui, les villageois assis en cercle riaient.

Kaoru sortit de la glacière une serviette qu'elle tendit à Ryôsuke, prêt à essuyer la boue sur son visage du revers de la main.

« Merci. »

Comme il n'ajoutait rien d'autre, Kaoru et Tachikawa échangèrent un regard.

« T'es vraiment pas causant, toi », fit Tachikawa.

Ryôsuke ne répondit pas ; Kaoru haussa les épaules et tourna les yeux vers le groupe de villageois. « Ils se la coulent douce en pleine journée. »

Assis sur une natte, ils s'étaient mis à boire.

« Ils s'en font pas », remarqua Tachikawa en plantant sa bêche dans la terre.

Ryôsuke, une main sur les reins, soufflait un peu ; à vrai dire, il n'en était plus à chercher ses mots, il n'avait tout simplement plus la force de faire la conversation.

Ils devaient creuser chaque jour une certaine longueur de tranchée. Entre le nouveau réservoir et la citerne d'eau potable du village, il y avait environ trois cents mètres à vol d'oiseau. Il fallait ouvrir un fossé d'un mètre de profondeur, dans lequel ils poseraient les tuyaux en PVC. Le plan était, paraît-il, d'achever la tranchée en un mois, ce qui demandait d'avancer de dix mètres par jour. « À nous tous, ça ira vite », avait affirmé le contremaître, mais le mini-bulldozer n'était pas adapté pour creuser et les villageois censés les aider passaient leur temps à picoler. Kaoru était chargée du transport de la terre excavée et de menus travaux ; concrètement, il revenait à Ryôsuke et à Tachikawa seuls de piocher. Sur un terrain où foisonnaient les racines d'arbres entremêlées, bêcher dix mètres par jour semblait relever de la gageure.

Mais Ryôsuke, à sa propre surprise, ne détestait pas ce travail basique : retourner la terre. Au contraire, une pelle entre les mains, il parvenait à s'oublier. Être épuisé au point de ne plus pouvoir mettre un pied devant l'autre, c'était toujours mieux que d'être le jouet de son instabilité intérieure. Il se disait même qu'il pourrait continuer à pelleter indéfiniment.

C'est dans l'après-midi, peu de temps après avoir repris le travail, que Tachikawa se laissa tomber par terre, tête baissée. Il paraissait complètement vidé, il n'avait même plus la force d'éponger la sueur qui dégoulinait sur son visage. Kaoru, la brouette entre les mains, commençait elle aussi à tituber. « Ça va être comme ça tous les jours ? s'enquit-elle, les yeux au ciel.

– On peut faire une pause ? demanda Ryôsuke au contremaître qui approchait justement.

– Avec modération, hein, leur répondit-il, avant de s'éloigner d'un pas mal assuré.

– J'y crois pas. Même lui s'est mis à picoler. »

Tachikawa affichait une mine écœurée. Kaoru se laissa choir à côté de lui.

« Dire qu'on m'avait promis que je m'occuperais de menus travaux.

– C'est vrai, ça. Pour commencer, c'est bizarre que tu travailles sur un chantier. T'es une fille.

– Oui, enfin, je suis plutôt une manuelle. »

Elle plia son bras tatoué et tenta de gonfler son biceps. Tachikawa rit, mais il détourna les yeux, comme si ce qu'il avait vu lui faisait de la peine. Puis il s'allongea à même le sol et poussa un énorme soupir.

« Chez moi, on a toujours été pauvres, je n'avais jamais mis les pieds sur une île. Être payé pour voir la mer, je trouvais ça chouette. Quelle andouille ! »

Toujours allongé, il frappa le sol du talon.

« Je me suis encore planté. C'était écrit "urgent", et ils étaient pressés, hein ? J'aurais dû réfléchir un peu plus. J'étais sûr qu'il y avait un piège.

– Un piège ? » demanda Kaoru.

Il tourna lentement le visage vers elle.

« Tu sais, j'en ai parlé avec Ryôsuke sur le ferry. C'est

une île tout au sud, ici. Pourquoi ils font venir exprès du Kantô des gens comme nous ? Ça a beau être mal payé, avec le billet d'avion et la traversée, ça leur coûte bonbon.

– Moi aussi, j'ai trouvé ça bizarre.

– Qu'est-ce que tu en penses, Ryôsuke ? »

Ryôsuke hocha la tête puis, après avoir mis ses idées en ordre, il leur rapporta ce que lui avait expliqué le contremaître au téléphone quand il avait envoyé son CV :

« Il m'a dit qu'ils espéraient notre aide en dehors des travaux aussi. Ils voudraient qu'on trouve une idée pour attirer du monde sur l'île.

– Ouais, j'ai eu droit au même discours. Des projets pour faire de l'île un endroit attractif pour les jeunes. Mais pour ça, ils pourraient s'adresser à des gens du coin, non ? »

Ryôsuke pencha la tête d'un air dubitatif.

« Les jeunes du coin ne viendraient pas, à mon avis.

– Pas faux, fit Kaoru.

– S'ils quittent exprès leur village, c'est pour aller à Tokyo ou à Osaka. Les habitants de la préfecture connaissent la vie sur les îles isolées, ils ne risquent pas de se fourvoyer dans un coin paumé, sans l'ombre d'un magasin.

– C'est clair », reconnut Tachikawa. Il se redressa et se passa la main dans les cheveux. « Je vois le truc. Ils veulent le point de vue de citadins pour redynamiser l'île.

– Si c'est vraiment ça, ils n'ont pas choisi la bonne méthode ! »

Kaoru riait, mais Tachikawa fit la moue.

« Il n'y a pas de quoi rire. Même si c'était Hawaï, ici, sans réseau, comment voulez-vous que les gens aient envie de venir ? Je vous dis qu'y a un piège. Et puis ces arbres… »

Les arbres en question bordaient le sentier. De leurs branches touffues pendait une multitude de racines aériennes. On aurait dit des tentacules.

« Ils sont moches. Et toutes ces racines qui nous enquiquinent pour creuser ! »

Il saisit un caillou et le lança contre un tronc voisin. Un figuier des banians.

« Moi, je les aime bien. Ça serait chouette de prendre un verre dessous, dit Kaoru en étouffant un bâillement.

– Certainement pas. Si je bois, je ne serai plus en état de creuser », rétorqua Tachikawa.

Les multiples tentacules frémissaient sous le vent. Ryôsuke avait lui aussi un faible pour ces arbres. Il aimait la courbe de leurs branches et l'aspect à la fois sauvage et cocasse que leur conféraient leurs racines aériennes.

7

Ainsi débuta leur séjour sur l'île d'Aburi.

Chaque matin, quelques villageois faisaient leur apparition, maniant la pelle juste ce qu'il fallait pour se moquer d'eux, puis ils festoyaient dès le déjeuner. Certains venaient inviter Ryôsuke et Tachikawa qui, en présence du contremaître, ne pouvaient décemment pas accepter. Seule Kaoru se joignait à eux, elle allait et venait, buvait un verre entre deux menus travaux. Du coup, les hommes la surnommèrent « Piercing ». Tachikawa était « Tignasse » et Ryôsuke « Lui » ou « l'Autre ».

La pluie leur donnait deux fois plus de travail. Les villageois ne venaient pas, laissant les trois saisonniers et le contremaître creuser seuls, engoncés dans des imperméables. En dix minutes à peine, c'était un véritable sauna. L'eau dégoulinait dans la tranchée, ils pataugeaient dans la boue et chaque pelletée pesait plus lourd. Leurs forces s'épuisaient. Ryôsuke et Tachikawa bataillaient en silence contre la terre. Tachikawa finit par râler : « J'en peux plus », et il s'assit sous la pluie. Kaoru, qui tentait d'arracher la brouette à une fondrière, tomba à genoux ;

couverte de boue, elle était au bord des larmes. Seul Ryôsuke continuait à creuser sans piper mot. Comme si s'éreinter à la tâche était une forme de rédemption.

Après leurs travaux de force, ils prenaient leur bain à l'auberge, à tour de rôle. Chaque soir, dans la baignoire, Ryôsuke réfléchissait.

Il pensait à la vraie raison de sa présence sur l'île... Ne devait-il pas bientôt se mettre à la recherche de cet homme dont sa mère lui avait tant parlé ? Celui qu'il voulait rencontrer pour faire la lumière sur son propre passé, et pour continuer à vivre ?

Faisait-il partie des villageois venus les aider ? Ou avait-il encore à le rencontrer ?

Ces pensées avaient beau le hanter, il passait son temps à pelleter. Quand il prenait son bain à la fin de sa journée de labeur, il n'avait plus la force de faire quoi que ce soit d'autre. Comment se débrouiller pour le chercher en toute discrétion ? Cela non plus, il n'en avait aucune idée.

Un matin, le contremaître ne se leva pas.

« Il paraît que le Président lui a passé un savon parce qu'il buvait pendant le travail », leur expliqua la vieille femme venue les réveiller.

Après leur avoir donné des nouvelles du contremaître terré dans son lit, elle leur annonça que les travaux étaient annulés pour la journée.

Où habitait leur chef, et avec qui vivait-il ? Ils n'en savaient rien. C'est en partie pour cette raison que, pendant le petit déjeuner qu'ils prirent tous ensemble, l'idée d'aller lui rendre une visite de courtoisie n'emballa personne. Même la vieille femme leur signifia d'un geste de la main que ce n'était pas la peine.

« C'est juste qu'il n'a rien dans le froc. Il boude parce qu'il est incapable de tenir tête au Président.

– Quand même, c'est le contremaître..., protesta Tachikawa.

– Mais non, je vous dis. »

Elle semblait sûre d'elle. Elle ajouta :

« De toute façon... il n'a pas la carrure d'un contremaître.

– Vous le connaissez bien ? » s'enquit Kaoru.

La vieille femme tira la langue.

« Oui. Mais on va dire que non.

– Pardon ?

– Qu'est-ce qu'il y a comme mystères sur cette île », fit Tachikawa.

Elle opina d'un air entendu :

« Ça oui. C'est l'île aux mystères. Puisque vous avez congé, pour une fois, si vous en profitiez pour vous promener un peu ?

– Bonne idée ! »

Tachikawa attacha ses cheveux en queue-de-cheval.

« Le Président nous avait invités à venir prendre un verre le soir, mais en fin de compte on est restés dans nos chambres. Du coup, on n'a rien vu de l'île.

– C'est vrai, ça. On n'a même pas fait un petit tour, dit Kaoru.

– Qu'est-ce que tu fais, Ryôsuke ? Tu vas te recoucher ? T'as apporté des magazines porno ? »

Ryôsuke protesta en secouant la tête et leur sourit.

« Je viens avec vous. »

Des maisons avec des jardins où paissaient paisiblement des vaches. D'autres où poussaient des petites papayes vertes. D'autres encore agrémentées d'un banian aux racines aériennes frémissant dans le vent. Et par-delà les maisons, la mer. Le ciel. La montagne verdoyante.

Libérés des travaux de terrassement, une petite promenade dans le village, à déambuler simplement, leur suffit pour apprécier les paysages à la fois sereins et époustouflants de l'île.

Kaoru brandissait son téléphone portable dans toutes les directions en appuyant sur le bouton qui déclenchait l'appareil photo. Puisque son portable ne servait plus de téléphone, il fallait changer d'approche, d'après elle.

« Je serai la gardienne de la mémoire de notre séjour. »

Elle rabroua Tachikawa qui s'obstinait à prendre la pose :

« Je ne veux que des photos authentiques, merci. »

Alors qu'ils atteignaient l'extrémité ouest du village, ils entendirent de joyeux cris d'enfants. Au pied d'une pente douce, derrière un grand banian aux feuilles ondulant dans la brise, se dressait l'école, un bâtiment en bois sur un niveau. Dans la cour, quelques élèves vêtus d'un uniforme de gymnastique s'entraînaient à l'endurance. Une femme en survêtement, a priori l'institutrice, courait à leurs côtés ; elle leur dit quelque chose qui les fit rire.

« Il y a bien une école ! s'écria Tachikawa, dressé sur la pointe des pieds. Et avec une instit', en plus.

– Qu'est-ce qui te fait ricaner ? »

Kaoru lui allongea une bourrade dans les côtes.

« Ben, elle est plutôt mûre.

– Et moi donc alors, j'ai deux ans de plus que toi. »

L'un des piliers en pierre du portail d'entrée portait une plaque « École primaire et collège d'Aburi ». L'enceinte de l'établissement était délimitée par un talus et des buissons, et non par une clôture métallique comme on en voit généralement en ville.

Un élève avait entendu leurs voix, semblait-il, car il les montra du doigt en criant « Maîtresse ! ». Les enfants s'agitèrent, agrippés au survêtement de l'institutrice. Elle leur dit quelques mots puis se dirigea à petites foulées vers Ryôsuke et ses compagnons.

« Que puis-je faire pour vous ? »

Elle avait en fait une petite trentaine d'années. Tachikawa en eut le souffle coupé. Ryôsuke ne s'y trompa pas. Les prunelles de la jeune femme brillaient d'un éclat humide.

« Pardon. Nous ne sommes pas des individus louches », dit Kaoru en souriant pour détendre l'atmosphère.

L'institutrice les prit de court :

« Vous êtes les saisonniers, pour la conduite d'eau ? Ça doit être dur, ajouta-t-elle à voix basse. Et donc... Que voulez-vous ?

– Rien. Nous regardons, c'est tout. »

Tachikawa n'avait pas fini sa phrase que la méfiance se peignit sur le visage de l'enseignante ; elle fit mine de repartir vers les enfants. C'est Ryôsuke qui l'arrêta.

« C'est-à-dire que nous avons eu un congé imprévu. Alors, nous nous promenons. »

Elle pencha la tête, dubitative, et le dévisagea.

« Ah bon. Mais il n'y a rien, sur cette île.

– Et la montagne ?

– La montagne, eh bien… Je ne suis jamais allée jusqu'au sommet. Désolée. Vous m'excuserez, mais je suis en plein cours.

– C'est nous qui nous nous excusons. Merci. »

Kaoru s'inclina, puis l'institutrice retourna près des enfants. Ce fut au tour de Tachikawa de flanquer une bourrade à Ryôsuke.

« Ben dis donc, tu trouves les mots dans ces cas-là.

– Ah, tu es bien un homme, Ryôsuke, me voilà rassurée », dit Kaoru en fronçant fugacement le nez.

8

L'après-midi, Tachikawa et Kaoru prirent un verre ensemble, puis ils firent la sieste, chacun de son côté. Ryôsuke s'éclipsa, seul, pour mettre à exécution le projet qu'il caressait depuis longtemps. À pied, il fit le tour des maisons du village pour examiner le patronyme sur la plaque de chacune. Il espérait découvrir celui de l'homme qu'il cherchait, mais il parcourut toutes les rues en vain.

Il était découragé.

S'était-il fait des idées ? Peut-être ne vivait-il plus ici.

Soudain terrassé par la fatigue, il s'assit au bord du chemin. Désemparé, il contempla un moment les nuages qui filaient dans le ciel. Cela lui donna l'idée de gravir la montagne.

Il y avait peut-être des maisons en dehors du village. Une vue d'ensemble de l'île, en hauteur, lui permettrait de s'en assurer.

Après le chantier, le sentier continuait dans la montagne, lui avait appris le contremaître. Ryôsuke se leva et se remit en marche. Il traversa le village, passa devant le temple abandonné et prit la route du chantier. Ensuite, il longea la tranchée creusée de ses propres mains et déboucha sur le sentier de montagne qui grimpait en pente douce. Il gravit la côte pas à pas, en regardant les arbres.

C'est après qu'il eut traversé des buissons touffus, lorsqu'il commença à trébucher sur les ronces et les vrilles des plantes grimpantes, que la pente se fit soudain abrupte. La côte était si raide qu'il dut s'aider de ses mains pour progresser, essoufflé. La végétation environnante avait changé. Les arbres étaient plus denses, la vue moins dégagée. Il continua malgré tout son ascension sur le sentier au tracé de plus en plus incertain. Pour couronner le tout, les herbes qui le recouvraient formaient un sillon qui se séparait dans deux directions opposées. Ryôsuke s'arrêta.

Il entendit un bruit dans son dos. Près des touffes d'herbe qu'il venait de traverser, des fourrés frémissaient. Des branches craquaient. Il y avait quelqu'un ou quelque chose.

Toujours immobile, il scruta les broussailles qui palpitaient. La présence se dirigeait vers lui. Il l'apostropha :

« Hé ! »

Aussitôt, son appel déclencha une réaction foudroyante. La chose s'écarta de lui en faisant trembler violemment les fourrés. Il n'envisagea même pas de se lancer à sa poursuite. Ce n'était sûrement pas un être humain.

Il repensa aux points noirs apparus sur le flanc de la falaise, quand il avait contemplé l'île depuis le ferry.

De quoi pouvait-il bien s'agir ?

Une bourrasque souffla. Les arbres et les herbes frissonnèrent. Puis le calme retomba alentour. Il ne restait plus que la forêt, paisible.

Ryôsuke tourna le dos aux fourrés. Il s'engagea dans le sillon herbeux qui s'étirait vers la droite.

Le sillon creux au milieu des herbes semblait épouser le flanc du mont Aburi, du sud vers l'est. Ryôsuke le suivit. Le relief s'accentuait progressivement, et plus il avançait, plus la roche perçait à travers la végétation. Soudain, la forêt s'éclaircit et un panorama spectaculaire s'offrit à lui.

Il avait sous les yeux le village et ses champs de canne à sucre. Devant lui, le ciel et la mer. Il baignait dans l'immensité bleue du globe.

C'était la paroi à pic aperçue depuis le ferry ; il s'apprêtait à pénétrer dans ce paysage.

Sous ses pieds, il n'y avait plus que la roche rugueuse et des brins d'herbe. La brise portait jusqu'à ses oreilles le murmure inaltéré de la mer. Le vent mugissait. Le ciel bleu semblait prêt à l'aspirer.

Mais alors, comme arraché à la splendeur de la vue, il sentit une violente appréhension parcourir sa peau, s'immiscer sous son épiderme. Il se mit à haleter. Il réalisa qu'il était à flanc de falaise. Une chaîne était fixée dans la paroi. Rouillée, elle mesurait à peine cinq ou six mètres de long, et il s'y cramponna, paralysé. Un caillou se détacha de la muraille et tomba avec un petit claquement sec.

La douleur était de retour dans sa poitrine, comme si on fouillait la plaie avec une aiguille. Le sang qui avait jailli entre ses doigts cette nuit-là lui semblait goutter sur son pantalon maintenant encore.

Il avait réveillé en lui ce qui ne devait pas l'être.

Lorsqu'il regretta son imprudence, il était déjà trop tard.

Il serra les dents. Ébranlé par le danger, il tenta de revenir sur ses pas. Mais la sensation qui l'envahissait, rampant le long de sa colonne vertébrale, triompha de son corps en un clin d'œil. Ses jambes flageolaient. Sa main autour de la chaîne refusait de s'ouvrir.

Il avait souhaité vivre, la preuve, il était sur cette île ; et pourtant, en lui, une autre pulsion prenait le dessus.

Il ne voyait plus que les vagues qui se brisaient sur les écueils. Une simple ligne droite l'en séparait. Malgré la végétation sur la paroi, avec un peu d'élan, il tomberait sûrement tout droit.

Ce qui enflait en lui tentait de l'engloutir.

Prends ton élan.
Finis-en.

L'esprit de plus en plus troublé, il secoua la tête. L'une de ses mains lâcha la chaîne.

Allez, lâche l'autre main aussi.
Qui te regrettera ?

Sa voix intérieure était puissante. Il avait beau refuser de l'écouter, elle s'imposait à lui. Le tremblement de ses genoux s'accentua. Il était incapable d'avancer comme de reculer. Il suait à grosses gouttes, le cou et la poitrine trempés.

– Saute.

Ce qui l'habitait avait pris le contrôle de ses lèvres.

Couvert de sueur, il se fit une raison. Le ciel bleu s'apprêtait à recueillir son dernier geste.

Il regarda en bas. La végétation ondulait par vagues sous le vent qu'il sentait monter jusqu'à lui. S'il sautait maintenant, en quelques secondes, son corps irait s'écraser sur les brisants. Et tout serait fini.

Son autre main lâcha la chaîne. Il fit un pas en avant. Son pied droit, dans la chaussure de sécurité, était suspendu dans le vide. Maintenant, le pied gauche. Un peu d'élan suffirait.

– Saute !

À l'instant où il bandait ses muscles, un claquement sec, comme un coup de sabot, retentit. Une forme se dessina à la périphérie de son champ de vision. Il tourna la tête. Sur la paroi rocheuse, de l'autre côté de la chaîne, se tenait un animal au pelage blanc tacheté de noir.

La bête le fixait en silence. Et elle ne se contentait pas de le regarder. Perchée sur des rochers qui la jetteraient tout droit à la mer si elle dérapait, le corps penché pour garder son équilibre, elle s'approchait lentement de lui.

Ses yeux barrés d'étroites pupilles horizontales luisaient d'un éclat doré. Ses longues oreilles, dressées, étaient flanquées de deux cornes.

Elle était tout près maintenant. La tête levée, elle le fixa un moment. Et soudain, elle lui donna un coup de museau dans le flanc.

Son front effleura la main gauche de Ryôsuke. Sous

le pelage doux, la chair était ferme. La bête le poussait avec autorité. Elle glissa ensuite sa tête et ses cornes devant les genoux de Ryôsuke, quasiment dans le vide. Des cailloux roulèrent sous ses sabots. Sans hésiter pour autant, elle se faufila dans le peu d'espace qu'il y avait. Elle se frotta contre la main de Ryôsuke qui, du bout des doigts, lui caressa le poil, goûta la chaleur de son pelage.

Ryôsuke revint à lui. Ses genoux ne tremblaient plus. Ses oreilles captaient à nouveau le murmure de la mer. Ses yeux voyaient les bateaux sur l'eau. Il saisit la chaîne et rebroussa chemin, pas à pas. L'à-pic enfin derrière lui, il foulait l'herbe.

Il s'assit dans un creux de verdure. L'animal vint frotter son museau contre son épaule et ses reins.

« Merci. »

Il n'avait pas la force de parler davantage. Assis à côté de la bête au pelage tacheté, il leva les yeux vers le ciel. Le souffle court, il sentait la sueur couler à grosses gouttes sur son front.

Pour une raison qui lui échappait, la bête s'était remise à le pousser, lui donnant de légers coups de tête dans le dos. Il se leva sous l'impulsion et elle récidiva. Elle émit un bêlement humide.

« Tu es une chèvre, toi ? »

La biquette se secoua puis elle se mit en route devant lui. Il lui emboîta le pas.

Elle redescendait le sillon herbeux en se retournant de temps à autre. Ryôsuke était persuadé qu'il s'agissait d'une chèvre domestique. Jamais un animal sauvage ne se serait comporté ainsi. Peut-être son propriétaire allait-il bientôt se manifester.

Mais, de retour dans la forêt dense, il changea d'avis. Ils étaient à la fourche, là où il avait été surpris par une présence dans les fourrés.

Les buissons bruirent à nouveau. La chèvre tachetée bêla. Soudain, une autre chèvre apparut. Celle-là était toute noire. Lorsqu'elle le vit, elle se campa sur ses pattes avant et leva haut la tête.

Il émanait d'elle une aura différente de celle de la chèvre tachetée. Elle paraissait méfiante. Ses pattes, son échine laissaient supposer des mouvements vifs et imprévisibles. Elle pointait les cornes de façon menaçante. Une tension que Ryôsuke n'avait pas ressentie face à la chèvre tachetée régnait entre la bête noire et lui. D'autres fourrés bruissaient aux alentours, laissant apparaître des dos et des têtes. À première vue, pas loin d'une dizaine de chèvres l'encerclaient.

Surgissant et disparaissant tour à tour dans les buissons, elles l'accompagnaient sur le sentier. Une tension agréable régnait dans l'air, et il se prit à dévaler la montagne au rythme des animaux. La chèvre tachetée ne le quittait pas d'une semelle. La noire les suivait à distance. Le troupeau l'escortait.

Un peu plus loin, la chèvre noire se réfugia d'un bond dans les fourrés. Faisant remuer les buissons en tous sens, les animaux disparurent sans laisser de traces. Quelques bêlements s'élevèrent ici et là, puis le calme redescendit sur la forêt. Le troupeau avait disparu comme par magie. Ryôsuke s'arrêta et tenta de caresser la chèvre tachetée restée seule à ses côtés. Mais elle lui donna un brusque coup de tête, de tout son poids. Touché aux reins, il tomba à la renverse dans la pente.

L'animal l'attaqua une nouvelle fois, sans pitié. Sous les coups de cornes, il sentit une douleur fulgurante dans son dos.

Des rires fusèrent alors du bas du chemin. C'étaient des enfants. Ryôsuke s'empressa de se relever. Il avait vu l'institutrice rencontrée plus tôt dans la journée.

« La pinza* l'a mis KO ! »

Une fillette riait en le montrant du doigt.

« La pinza ? » répéta-t-il.

Le mot lui était inconnu. Au même instant, la chèvre tachetée se précipita dans les fourrés. Les broussailles palpitèrent, puis il n'y eut plus aucune trace de l'animal.

---

* « Pinza » est le terme utilisé pour désigner les chèvres sur l'île de Miyakojima. Aburi est pour sa part une île imaginaire (*N.d.A.*)

9

L'institutrice lui expliqua qu'elle se promenait sur le sentier de montagne avec ses élèves dans le cadre d'un cours de sciences naturelles. Ils s'apprêtaient à rebrousser chemin après avoir observé un certain nombre de plantes quand ils l'avaient vu se faire attaquer par l'animal.

« La chèvre. Ici, on dit *pinza* », lui apprit-elle en lui tendant un mouchoir.

Ryôsuke était couvert de boue.

Les prunelles de l'institutrice luisaient d'un éclat humide. Il avait l'impression que tout ce qu'il y avait de doux dans la forêt, les pousses tendres et les petites fleurs, illuminait ses yeux. Incapable de la regarder plus longtemps, il tourna la tête dans la direction où la chèvre tachetée avait disparu. Puis il répéta le mot :

« Pinza.

– Oui, pinza.

– Et pourquoi les appelle-t-on ainsi ?

– Je n'en sais rien. Moi non plus, je ne suis pas d'ici. »

Elle pencha la tête, incertaine, et interrogea ses élèves qui bafouillèrent, l'air embarrassé : « Ben, les pinzas, c'est des pinzas. »

Comme toujours, les enfants étaient blottis contre elle, levant vers Ryôsuke un visage soupçonneux.

Tout en s'occupant d'eux, elle lui apprit le peu qu'elle savait du mont Aburi.

La falaise était baptisée la « Falaise des hommes de l'est ». Le chemin se séparait en deux sentiers, la « Pente aux hommes » qui menait à l'à-pic, et la « Pente aux femmes », plus douce. Autrefois, pour le rite de passage à l'âge adulte, on escaladait la Pente aux hommes, pratique à présent quasiment abandonnée à la suite de plusieurs accidents. Puis, en prenant soin de préciser qu'elle en avait seulement entendu parler, elle évoqua l'existence d'une forêt primaire de banians au cœur de la montagne, ainsi que d'une grotte dans la falaise, qui aurait servi de refuge à des pirates.

« Au fait, quand la nouvelle conduite d'eau entrera-t-elle en service ? s'enquit-elle.

– D'ici la saison des pluies, d'après le responsable.

– Ça fait longtemps que vous faites des travaux de terrassement ?

– Non, c'est juste un petit boulot. »

L'institutrice parut surprise.

« Ce n'est pas votre métier ?

– Non... Jusqu'à l'année dernière, je travaillais en cuisine.

– Ah bon, fit-elle d'une voix teintée d'admiration. Moi, je suis plutôt gourmande... Vous avez entendu, les enfants ? Ce monsieur creuse la tranchée pour amener de l'eau au village, mais en réalité, il est cuisinier. Il pourrait venir à l'école nous parler de son métier. »

Les élèves réagirent vigoureusement à cette proposition. L'un d'entre eux sautait sur place en criant : « Des crevettes panées ! » Un autre hurlait : « De l'omelette fourrée au riz ! »

Ils arrivèrent enfin en vue du chantier. Tout en recommandant aux enfants de bien regarder devant eux, l'institutrice lança un coup d'œil en direction des travaux.

« Quel travail ! Vous avez toute notre gratitude. »

Un garçonnet, la boule à zéro et le sourire édenté, se mit à sautiller sur place.

« Dis, maîtresse ? Le monsieur, il est cuistot. Alors, pourquoi il creuse des trous au lieu de faire la cuisine ?

– Eh bien… »

L'institutrice était bien embarrassée. Ryôsuke émit un petit rire gêné. Mais l'enfant ne se découragea pas pour autant :

« Dis, pourquoi ? »

Ryôsuke, marchant à leurs côtés, choisit ses mots :

« En fait, ce n'est pas pour la conduite d'eau que je creuse.

– Mais qu'est-ce que tu racontes ?

– Pourquoi tu creuses, alors ? »

Un garçonnet morveux avait élevé la voix. Les autres l'imitèrent.

« C'est vrai, ça. Pourquoi tu creuses ?

– C'est pour quoi faire ?

– Vous n'êtes pas au courant ? »

Ryôsuke faisait mine d'être abasourdi ; les garçons comme les filles attendaient, bouche bée. Même l'institutrice semblait guetter sa réponse.

« Eh bien… c'est parce qu'on cherche un trésor.

– Un trésor ? » s'exclamèrent-ils en chœur.

Cette fois, ils se mirent à crier : « C'est pas vrai ! » « Menteur !

– Si, c'est vrai.

– Non !

– Ici, c'est l'île au trésor, affirma Ryôsuke.

– C'est quoi, comme trésor ?

– On ne sait pas, c'est pour ça qu'on creuse.

– Tu nous fais marcher ! » dit un garçonnet en lui assenant une tape sur le derrière.

Mais il y avait aussi des fillettes qui s'extasiaient : « Un trésor ! »

Lorsqu'ils arrivèrent au bout du sentier, près du temple abandonné, l'institutrice lança aux enfants : « On va demander au monsieur de creuser de toutes ses forces pour trouver le trésor. » Puis, dans un murmure, elle ajouta à l'adresse de Ryôsuke :

« Venez nous voir à l'école quand vous voulez. Je m'appelle Yoshikado. Merci de leur avoir raconté cette histoire.

– Je vous en prie », répondit-il avec une petite courbette.

L'institutrice s'immobilisa.

« Tiens, là-bas ? C'est Hisao ! »

Les enfants se rembrunirent. Ils se réfugièrent derrière leur maîtresse.

Dans le cimetière du temple abandonné se tenait un adolescent.

C'était le fils du Président.

« Que veux-tu ? Que fais-tu ici ? »

La voix de Mlle Yoshikado avait pris une inflexion

inquisitrice, différente du ton qu'elle réservait aux enfants qui l'entouraient.

« C'est le fils du Président », souffla-t-elle.

Ryôsuke n'eut pas le temps de hocher la tête que Hisao avait déjà pris la fuite. Avec un regard en direction de l'institutrice, il dévala la pente tout droit vers le village.

10

Au bord du chemin, devant l'auberge, le patron vidait un gros poisson sur une planche à découper. Sans l'ombre d'un sourire à la vue de Ryôsuke, il tira sur les entrailles qui s'en échappaient. Ryôsuke s'apprêtait à le dépasser avec un simple signe de tête lorsqu'il souleva le poisson par la queue pour le lui montrer. D'un noir argenté, il mesurait au moins quatre-vingts centimètres.

« Ça, c'est un bar du Japon.

– Oui.

– Le contremaître, il est ici. Il est en train de se faire remonter les bretelles. »

Sans bien comprendre, Ryôsuke gagna l'auberge. Une voix grave et puissante lui parvint alors aux oreilles. Elle émanait de la salle à manger, au bout du couloir. Malgré la porte fermée, il devina immédiatement à qui elle appartenait. Dans l'entrée, il remarqua une paire de sandales qu'il n'avait jamais vue là. Les chaussures de sécurité de Tachikawa et de Kaoru avaient disparu.

Ryôsuke, assis sur la marche du vestibule, entreprit de défaire ses lacets.

« C'est parce que tu es mon neveu que je te donne du travail. »

C'était bien la voix du Président.

« Si tu te saoules avec les autres, comment veux-tu que la tranchée soit terminée avant la saison des pluies ?

– Je suis désolé. Mais si je ne sers pas d'alcool, qui va venir, à votre avis ? » Des sanglots mouillaient la voix du contremaître, qui ajouta : « Pourtant, ces travaux, c'est pour l'île... Moi aussi, je trouve ça lamentable. »

Ryôsuke restait silencieux, les lacets de ses chaussures entre les doigts. Il réfléchissait. Où étaient passés Tachikawa et Kaoru ?

« Je sais bien. Mais il n'est pas question de boire en travaillant. Faites ça après, une fois la journée terminée.

– Personne ne viendra s'il n'y a rien à boire », protesta le contremaître d'une voix implorante.

Un silence se fit ; le Président murmura :

« Très bien. J'en fais mon affaire.

– Votre affaire...

– Je vais motiver les hommes, et demain ils travailleront. Quant aux trois autres, là, il n'y a rien à faire ? Tu nous as encore ramené de ces spécimens...

– Pardon.

– Tu n'aurais pas pu trouver un peu mieux ? C'est un petit boulot, d'accord, mais si on les fait venir exprès de Tokyo, c'est pour apporter sur l'île du sang digne de ce nom. “Piercing”, c'est ça ? La fille qui s'accroche des trucs sur le visage ? Tu crois que quelqu'un d'ici voudrait épouser ça ? Sers-toi de ta cervelle, un peu.

– Oui, mais...

– Et les deux autres ? L'ancien cuistot, là. Puisqu'il sait cuisiner, je pensais lui demander de nous concocter une spécialité locale, mais voilà qu'il n'est même pas capable d'aligner trois mots. Ça ne va pas du tout. C'est un type pas net, le genre à avoir un gros problème psychologique. Je ne veux pas de lui ici. »

Ryôsuke se releva lentement. En prenant garde à ne pas faire de bruit, il quitta la maison. Il aperçut la tête du patron. Sur la planche à découper, le bar était déjà tranché en sashimi.

Il passa devant l'étable et longea le chemin gravillonné. Dans la pente qui menait à l'embarcadère, il se mit à courir, martelant le bitume de ses lourdes chaussures de sécurité.

Le soleil descendait déjà dans le ciel. La mer et le vent se fondaient dans une lumière dorée.

Ryôsuke continua à courir. Il s'arrêta à l'entrée du premier virage, où il s'assit sur une pierre. Le souffle court, il contempla le paysage étincelant sous ses yeux.

La mer des îles du Sud était flamboyante. Chaque vague rutilait.

Derrière le flot de lumière apparaissaient des images de son enfance. Lui seul dans une pièce baignée par les rayons du soleil couchant, le regard rivé sur le portrait funéraire de son père. Lui qui trouait, à coups de crayon à papier, l'entrée du mot « suicide » dans le dictionnaire. Lui qui détournait instinctivement les yeux de ses camarades en train de rire à gorge déployée. Ces souvenirs remontaient les uns après les autres, s'agglutinaient en une masse qui dévorait le ciel. Il se prit le front entre les mains, écrasé par le passé qui lui revenait.

C'est alors qu'une voix s'éleva dans son dos :

« Bah alors... »

Il se retourna ; des joues rebondies lui souriaient.

« Bah alors... Tu aimes les blagues, toi ? »

Incapable de répondre oui ou non, Ryôsuke dévisageait son interlocuteur en silence.

« Bah moi, j'aime bien les duos de comiques.

– Ah bon, parvint-il enfin à articuler.

– Bah alors... T'as pas la pêche, hein ? Regarde. Signe de reconnaissance V ! »

Toshio, sa vaste gibecière en bandoulière, avait fait un V avec son index et son majeur, puis s'était enfoncé les deux doigts dans les narines. Devant le manque de réaction de Ryôsuke, il roula des yeux en criant à nouveau « Signe de reconnaissance V ! ». C'était la pose de prédilection d'un comique de la région du Kansai, dans l'ouest du pays.

Ryôsuke, un peu perdu, dit : « Merci.

– Pouah ! Bah alors... comment ça, merci ? Tout le monde me dit de ne pas mettre mes doigts dans mon nez ; maman, elle trouve ça sale. »

Toshio le dévisageait d'un regard franc. Incapable de répliquer, Ryôsuke eut un petit rire.

« Bah alors... Mais les narines, c'est fait pour respirer l'air, alors pourquoi ce serait sale ? C'est bizarre, non ? Comme si dans notre corps, il y avait des endroits propres et des endroits sales. Pouah ! Tu trouves pas ça bizarre ?

– Euh... Tu es le facteur ? »

Toshio hocha vigoureusement la tête.

– C'est bien pour ça qu'ils flippent. Hein, Ryôsuke ? »

Ryôsuke répondit par une question :

« Je me demande s'il y a des célibataires.

– Bien sûr que oui, répondit Tachikawa. Pour commencer, il y a Toshio, M. Bah alors. Et puis le fils du Président. Et les autres, là, les fortes têtes.

– Arrête ou je repars par le prochain ferry ! » s'exclama Kaoru.

Son verre à la main, elle se renversa en arrière, le torse bombé. Les yeux de Tachikawa s'étaient un instant posés sur sa poitrine ; c'est peut-être pour cela qu'il commença à débloquer.

« Tu sais, reprit-il, Mutsu, celui qui nous a pris la tête sur le ferry. Ses potes sont tous divorcés, d'après le contremaître. Tiens, celui-là aussi est seul, d'ailleurs.

– Arrête, arrête », répéta Kaoru en se laissant glisser par terre.

Tachikawa s'avança, penché au-dessus d'elle.

« Ça fait plusieurs dizaines d'années qu'ils n'ont pas touché une femme. D'habitude, ils font ça avec leurs vaches. Et puis, tu ne sais pas ce qu'on a dans le crâne, moi et notre taciturne camarade ici présent. En vrai, peut-être qu'on crève tous d'envie de te sauter dessus. »

Il s'approcha encore, en haletant, sans doute exprès.

« Arrête, je te dis. Je n'aime pas ce genre de blagues. »

Sourd à ses protestations, il plaqua son corps contre le sien.

« J'ai dit stop ! »

Elle lui asséna un coup sous le menton. Surpris par le cri de Kaoru, Ryôsuke s'était redressé.

« Et toi, Kikuchi, tu pourrais intervenir, non ? »

Tout en repoussant Tachikawa d'une main, Kaoru se releva et jeta un regard de reproche à Ryôsuke, les yeux pleins de larmes. Ryôsuke, la gorge nouée, était incapable de prononcer un mot. Tachikawa s'excusa mais Kaoru, réarrangeant ses cheveux, lui lança « Crétin » avant de quitter la pièce.

Tachikawa se laissa mollement tomber sur les tatamis et gémit :

« Purée... j'ai fait une boulette.

– Oui.

– C'est pas vrai... »

Mortifié, il fixait un coin de la pièce. Ryôsuke, tout aussi silencieux, avait les yeux baissés sur le verre dans sa main.

« Tu crois que je l'ai blessée ?

– Sans doute.

– Mais quel imbécile je fais ! »

Il se donna un coup sur la tête, assez fort pour émettre un claquement sonore. Ryôsuke posa son verre et lui proposa : « Demain, on ira s'excuser ensemble. » Tachikawa opina avant de déplier son matelas en poussant de profonds soupirs et il s'enfouit sous sa couverture jusqu'en haut du crâne.

« Éteins la lumière, s'il te plaît », demanda-t-il avant de se retourner.

Ryôsuke débarrassa les verres et prépara son lit. Il éteignit la lumière et s'allongea.

De la musique au tempo vif s'échappait de la chambre de Kaoru à l'étage. Alors qu'il se demandait si elle l'écoutait sur son ordinateur, il l'entendit fredonner les paroles.

11

Sans avoir été relayée par le réseau de haut-parleurs de l'île, la voix du Président avait visiblement fait le tour du village. Dès le lendemain matin, le chantier changea du tout au tout. Chaque jour, plus de dix hommes étaient sur place, à faire bon usage de la pelle qu'ils avaient apportée avec eux.

Le contremaître, d'un naturel pusillanime, redoublait d'obséquiosité. Il était pitoyable à voir lorsque le Président venait faire un tour sur le chantier.

Celui-ci n'affichait pas son autorité, mais les remarques qu'il adressait aux uns et aux autres – « Michinaka, à votre âge, ce n'est pas à vous de transporter de la terre », « Teramae, tu n'as pas arrêté depuis le déchargement du ferry ce matin. Rentre chez toi après le déjeuner » –, à première vue attentionnées, réduisaient à néant le rôle du contremaître.

Tête basse, désœuvré, celui-ci battait alors en retraite dans un coin isolé. Les hommes, eux, rayonnaient quand le Président leur adressait la parole. On trouvait parmi eux Toshio, le préposé au courrier, et parfois le fils du Président, Hisao, une pelle à la main.

Ryôsuke et ses compagnons travaillaient vaillamment chaque jour. Tachikawa, malgré ses grommellements, ne ménageait pas sa peine. Kaoru accomplissait elle aussi avec rigueur les tâches variées qui lui étaient assignées, sans oublier de prendre des photos ici et là entre deux missions.

Seulement, avec la présence constante des villageois, les choses se compliquèrent. Certains ne voyaient pas Tachikawa et Ryôsuke d'un bon œil. L'un d'entre eux lança même son mégot dans la portion de tranchée qu'ils venaient tout juste de creuser.

« Hé, qu'est-ce que vous fabriquez ? Ne jetez pas ça ici, s'il vous plaît », protesta Tachikawa.

Lorsqu'il releva la tête, l'homme au visage rougi par l'alcool qu'il avait ingurgité depuis le milieu de la journée tordit les lèvres. C'était l'un des acolytes de Mutsu.

« On va remettre de la terre par-dessus, alors ne viens pas m'enquiquiner.

– Mais…

– On te paie, l'étudiant.

– Je ne suis pas étudiant.

– T'es quoi, alors ? Au chômage ? »

Des hommes plus âgés intervinrent et réprimandèrent l'ivrogne : « Rentre donc boire chez toi. » Il redescendit au village, bien qu'en jurant. Ce genre d'incidents se produisait de temps à autre.

Les villageois étaient loin de former un bloc uniforme. Chacun avait sa personnalité. Certains venaient asticoter Ryôsuke et Tachikawa, tandis que d'autres s'interposaient. Il y avait des bavards et des taiseux. Quelques-uns étaient avenants, comme Toshio qui approchait dès qu'on croisait son regard, d'autres paraissaient garder leurs distances avec le groupe.

C'était le cas de Hashi, l'homme que recherchait Ryôsuke.

Interrogé sur la présence d'un certain M. Hashida, Toshio avait répondu qu'il n'y en avait qu'un seul.

C'était lui que Ryôsuke avait souvent vu à l'écart des autres…

En écoutant les explications de Toshio, Ryôsuke s'était remémoré le visage raviné de rides profondes de l'homme aux cheveux blancs, et il avait eu peine à y croire. Quand sa mère évoquait M. Hashida, elle en parlait toujours comme de quelqu'un qui ne perdait jamais espoir. Précisément parce qu'elle le présentait comme l'opposé de son père qui s'était suicidé, il avait acquis une aura puissante dans son esprit. Il avait imaginé un visage à l'expression déterminée.

Mais pas une seule fois, dans les yeux du Hashi qu'il rencontrait sur le chantier, il n'avait décelé une telle force. Au contraire, sa silhouette vue de dos quand il repartait seul accusait bien plus qu'une soixantaine d'années. Il émanait de lui la solitude d'un homme fini.

Était-ce vraiment lui ?

Tout en donnant des coups de pioche, il l'avait observé à maintes reprises. Le temps passait sans qu'il arrive à lui adresser la parole.

Ryôsuke avait fait le voyage jusqu'ici pour dissiper un doute qui le taraudait depuis l'enfance. Même maintenant qu'il avait soif de vivre, ou justement parce qu'il en avait conscience depuis la nuit où il s'était tailladé la poitrine, il recherchait des réponses.

Hashi était le seul à pouvoir les lui apporter.

Mais l'interroger, obtenir des réponses, lui remettre le paquet qui dormait au fond de son sac à dos, tout cela était une terrible épreuve pour lui. Si je dois y arriver, songeait-il, ce sera peut-être juste avant de quitter l'île.

Pourtant, le jour où il fit le premier pas arriva bien plus tôt que prévu. C'était le jour même où fut achevée la tranchée qu'ils avaient creusée sans relâche.

Les travaux n'étaient pas terminés, seulement la tranchée, mais c'était une étape à célébrer. L'idée émanait du Président : avant la pose des conduits en PVC, on organiserait une petite fête à la bonne franquette. Un peu après midi, tous les hommes déposèrent leur pelle pour prendre part à un banquet improvisé sur des bâches étalées dans l'enceinte du temple abandonné.

Ryôsuke et ses compagnons étaient inquiets. Ce jour-là, toutes les fortes têtes, à commencer par Mutsu, avaient bu plus que de raison. Le visage écarlate, ils jetaient des regards en coin à Kaoru et à Tachikawa. Certains les hélaient même en braillant : « Piercing, viens donc boire un coup par ici ! »

Bien entendu, le Président était sur ses gardes. Il trônait au milieu des convives en véritable conciliateur, distribuant à la ronde alcool et mets à grignoter. Il avait un sourire pour chacun : « Tiens, prends un verre », « Toi aussi, tu as travaillé dur »... Mutsu et ses acolytes faisaient du tapage, mais en sa présence ils restaient dans le rang.

Le fait-tout apporté par le patron de l'auberge fut

le détonateur. On le posa sur un réchaud à gaz à côté du Président. Les hommes affichèrent un sourire, des applaudissements s'élevèrent ici et là, « Un vrai repas de fête ! ». La marmite contenait sans doute le clou du banquet. Mais il commençait à s'en dégager, mêlée à la vapeur d'eau, une odeur bizarrement entêtante. Un parfum riche et fort, que certains auraient jugé désagréable. Un fumet qui à la fois vous aiguisait l'appétit et vous le coupait.

« C'est un ragoût de quoi ? » demanda Tachikawa, intrigué.

Son bol à la main, il s'était tourné vers Ryôsuke. Kaoru dit franchement :

« Ça pue, non ?

– Qu'est-ce que t'as dit, là ? » lança l'homme assis à côté de Mutsu.

Kaoru roula des yeux et haussa les épaules.

Mutsu, ivre, se leva en chancelant. Il apostropha Tachikawa avec un geste provocant : « Hé, crétin ! » Tachikawa ne releva pas, mais Mutsu lui lança un morceau de poulet frit : « J'te cause, crétin ! » Tachikawa blêmit.

« Quoi ?

– Vous dites que ça pue, ce qu'on mange sur l'île ?

– Ça suffit, assieds-toi », intima le Président.

Il tentait de calmer le jeu, mais le robuste pêcheur ignora son intervention.

« T'aimes pas le ragoût de pinza ? »

Ryôsuke posa son bol. Tachikawa, les yeux rivés sur Mutsu, lança d'un ton venimeux :

« Hein ? Pinza ? C'est quoi, ce truc ?

– Pinza, c'est de la chèvre », expliqua le Président.

Peut-être espérait-il calmer Tachikawa, mais au même moment, Mutsu lui lança un nouveau morceau de poulet frit en l'apostrophant :

« Tu viens ici sans même savoir ce que c'est les pinzas ? T'es jamais allé à l'école ?

– Non mais hé ! Tu me cherches ou quoi ? »

La voix de Tachikawa vibrait de colère.

« Arrêtez ! » hurla le Président, mais il était trop tard.

Tachikawa s'était déjà élancé, renversant Mutsu d'un coup de coude au visage. L'autre ne s'avouait pas vaincu. À quatre pattes, il finit par se redresser et lui fonça dedans la tête la première.

Le Président tenta de les séparer, mais ils le repoussèrent sans mal, le faisant culbuter. Avec un temps de retard, le contremaître entra dans la mêlée. Projeté en l'air, il atterrit sur le fait-tout de ragoût de chèvre, qui bascula. Dans le brouhaha, plusieurs hommes tombèrent à la renverse dans des nuages de vapeur d'eau. Tout le monde cherchait à fuir la bâche, les gens s'écroulaient, empêtrés. Les assiettes de poulet frit et de légumes marinés volaient. Le Président, incapable de se relever, poussait des cris.

Ryôsuke maîtrisa un Tachikawa forcené. Hors de lui, il frappait tout le monde, les villageois comme Ryôsuke. Mutsu était tout aussi enragé. La tête de Hashi coincée contre son ventre, il le giflait à la volée. Lorsque des hommes finirent par l'immobiliser par-derrière, Hashi s'écroula, à demi inconscient.

La fête en resta là. Tachikawa, déchaîné et hurlant, fut traîné jusqu'à la camionnette par le patron de l'auberge et des villageois. On le hissa sur le plateau à côté de Kaoru en pleurs, et ils repartirent ainsi en direction du village. Mutsu, finalement terrassé, fut emporté sur les épaules des hommes, comme un *mikoshi*, le palanquin des processions.

Le chaos régnait dans l'enceinte du temple. La bâche était tirebouchonnée, il y avait de la nourriture éparpillée partout. Au beau milieu de tout cela, était affalé le Président, la tête basse. Toshio, sa gibecière dans les bras, poussait des petits cris étranges. Ryôsuke et Hashi étaient assis par terre, le visage dans les mains.

Quelques villageois revinrent et aidèrent d'abord le Président à se relever. Ils essuyèrent ensuite Toshio, couvert de salissures, puis, encadrant les deux hommes, ils quittèrent le temple.

Ryôsuke et Hashi restèrent seuls parmi les reliefs éparpillés du banquet.

C'est Hashi qui lui adressa la parole le premier :

« On dirait bien que nous sommes des victimes collatérales, tous les deux. »

Sa voix était étonnamment calme.

« Ça va ? Vous n'êtes pas blessé ? demanda Ryôsuke.

– Mais non, penses-tu. »

D'une main tremblante, il versa du saké dans un gobelet en carton qu'il lui tendit.

« Désolé que ça ait mal tourné, ajouta-t-il.

– Non… c'est de notre faute. »

Frappé par Tachikawa près de l'œil, Ryôsuke avait la moitié du visage qui l'élançait. Une main sur sa joue tuméfiée, il prit le verre d'alcool. Hashi vida le sien cul sec et murmura : « C'est bête, les hommes. » Ryôsuke opina du chef et avala son saké d'un trait.

Hashi pressait lui aussi ses blessures d'une main, mais il se traîna sur la bâche, entreprenant de rassembler dans une assiette ce qui paraissait être des morceaux de viande de chèvre couverts de terre ou écrabouillés. Aucun n'avait l'air vraiment mangeable.

Avec un profond soupir, il finit par renoncer. Il posa l'assiette et dévisagea Ryôsuke. Ses yeux étaient humides. Sans essuyer ses joues, il regardait à tour de rôle Ryôsuke et l'assiette de viande.

« Quel gâchis. »

Ryôsuke acquiesça. Hashi saisit alors du bout des doigts un morceau plein de terre, le rinça avec du saké et le porta à sa bouche. Il en tendit un autre à Ryôsuke qui, se sentant obligé de l'imiter, le prit et l'avala. Il devait avoir une coupure à l'intérieur de la joue, car l'alcool de riz le picota. Il ne sentit guère le goût de la viande.

« C'est une des chèvres de la montagne ? » demanda-t-il.

Hashi fit signe que non. Puis, avec un nouveau soupir, il se remit à scruter Ryôsuke.

« Tu cherchais à me voir ? »

C'était si soudain que Ryôsuke ne trouva pas quoi répondre. Mais Hashi poursuivit :

« Toshio m'a dit qu'un des saisonniers connaissait mon nom. Pas celui avec les cheveux longs, mais l'autre, d'après lui. »

Sur la bâche, Ryôsuke se redressa.

« C'est-à-dire que… Êtes-vous bien M. Sôichi Hashida ? »

Hashi acquiesça.

« Moi, c'est Kikuchi. Ryôsuke Kikuchi. »

Les lèvres de Hashi s'entrouvrirent et laissèrent échapper un long souffle pareil à la brise. Ses yeux humides s'arrondirent et se remplirent lentement de larmes ; le visage de Ryôsuke se reflétait dans ses prunelles.

« Tu es Ryôsuke ?

– Oui. »

Hashi s'essuya les yeux du bout des doigts et rectifia sa position ; il s'assit, les talons sous les fesses.

« Tu es un adulte, maintenant. » Sa voix chevrotait. « Pourquoi avoir tant attendu… »

Pourquoi ? Ryôsuke n'en savait rien.

« Le fils de Kikuchi… Je dois tellement à tes parents. » Il s'inclina.

Ryôsuke s'inclina à son tour. Puis, un instant, ni l'un ni l'autre ne trouvèrent les mots. Mutuellement incapables de soutenir leur regard, ils gardaient les yeux baissés sur la bâche souillée.

« Je suis désolé pour ton père », dit Hashi.

Les yeux rivés sur un morceau de viande, Ryôsuke acquiesça.

« Je l'ai appris de ta mère, un peu plus tard. Quand j'ai commencé à vivre ici. Je nous considérais comme des amis intimes, et ça a été un vrai choc. En plus, tu étais tout petit. »

Ryôsuke hocha la tête en silence.

« Et… ta mère ? » Devant son silence, Hashi répéta : « Comment se porte ta mère ?

– Elle est morte.

– Pardon ?

– Cela fait un an. »

Hashi prit une profonde inspiration. Ryôsuke ajouta :

« Quand elle a découvert sa maladie, il était trop tard.

– Vraiment ?

– Oui. »

Hashi gémit « Pourquoi… » d'une voix cassée et se figea, comme pétrifié. Il hoqueta et se mit à pleurer en silence. On entendait seulement ses sanglots réprimés ; Ryôsuke serra les dents.

Pendant combien de temps Hashi pleura-t-il ? Il n'aurait su le dire. Il écoutait ses sanglots étouffés, et sa présence lui semblait à la fois lointaine et proche. Comme pour mesurer cette distance énigmatique, il aligna les mots un à un :

« C'est un hasard. Je cherchais du travail lorsque j'ai vu le nom de cette île. Ma mère m'en avait souvent parlé.

– C'est vrai ?

– Alors, j'ai eu envie de venir. Je me suis dit que je pourrais peut-être vous rencontrer…

– C'est pour cela que tu es venu ? »

Il hocha la tête en silence.

Quel âge avait-il à l'époque ? Quand sa mère lui avait montré une photo de l'île où s'était installé, seul, ce Sôichi Hashida dont elle lui parlait tant. Elle lui avait expliqué qu'il allait consacrer sa vie à confectionner du fromage sur cette terre perdue au milieu de l'océan.

Même aux oreilles de l'enfant qu'était Ryôsuke, la voix de sa mère avait pris une intonation particulière.

Ce à quoi avait échoué son époux, cet ami intime s'y réessayait, loin d'ici. Lorsqu'elle l'avait expliqué à son fils, c'était la femme en elle qui parlait.

Sôichi, il garde toujours espoir.

Tout près de Hashi qui gémissait, Ryôsuke se rappelait la voix de sa mère autrefois.

« Pardon, mais..., commença-t-il tout en songeant que le moment était mal choisi. Vous faites toujours du fromage ? »

Hashi le regarda, interloqué, et détourna aussitôt le regard.

« Non. Maintenant, je vis de la pêche. » Il s'essuya le visage des deux mains, reprit son souffle et poursuivit : « Demain soir... As-tu des projets pour demain soir ? »

Ryôsuke parvint enfin, lui aussi, à le regarder en face. Sur ses joues tuméfiées par les coups de Mutsu coulaient encore des larmes.

« Pas spécialement, d'après le contremaître.

– Bien. Dans ce cas... »

Hashi afficha un sourire forcé.

« Demain, je sors pêcher. Il reste toujours des poissons invendables, que j'ai l'intention de manger en prenant un verre. J'ai déjà d'autres invités, mais que diriez-vous de vous joindre à nous, toi et tes amis ? Je dois te parler de certaines choses. »

Ryôsuke accepta.

« Monsieur Hashi.

– Oui ?

– Ma mère... »

Sans formuler les sentiments qui l'assaillaient, il se contenta de dire « Merci ». Hashi se couvrit à nouveau le visage de ses mains, la tête baissée.

12

La partie ouest de l'île s'étendait en pente douce, couverte de champs de canne à sucre. Ce n'était pas encore l'heure du crépuscule, mais sous les rayons du soleil du soir, les feuilles tendres ondulaient au vent. La maison de Hashi se trouvait de l'autre côté de ces parcelles lumineuses.

C'était une habitation de plain-pied, toute simple. Au fond du jardin se dressait une étable en bois devant laquelle étaient attachées deux bêtes blanches. À leurs côtés, un petit gambadait gaiement.

« Des pinzas !

– Oh là là ! Qu'est-ce qu'elles sont mignonnes ! »

Devant Ryôsuke et Kaoru qui faisaient mine de s'approcher, les chèvres levèrent leurs yeux dorés. Le petit qui avait tout d'une peluche se réfugia discrètement derrière elles.

Une glacière pleine de poissons à la main, Hashi leur lança : « Méfiez-vous ! Au début, elles attaquent. » Au même moment, Ryôsuke reçut un coup à la hanche. Le temps qu'il réalise que c'était l'une des chèvres qui lui avait assené un coup de tête, il avait déjà perdu l'équilibre. Avec un petit cri, Kaoru bondit en arrière.

« L'audacieux, là, c'est Tsuyoshi, précisa Hashi. Et à côté de lui, Hanayo. »

Il ouvrit grand les portes-fenêtres, installa une table de jardin sur l'herbe et commença à préparer le dîner. Ryôsuke et Kaoru lui prêtèrent main-forte sans cesser de s'intéresser aux animaux. Ils caressaient Tsuyoshi et Hanayo tremblants de peur et invitaient du geste le chevreau. La chèvre et le bouc se laissaient parfois caresser, pour ensuite mieux leur tourner le dos d'un bond. C'étaient des animaux aux réactions imprévisibles.

« J'en ai vu dans la montagne, dit Ryôsuke.

– Oui, il y a des chèvres sauvages là-haut. »

Il repensa aux deux chèvres, la tachetée et la noire. Hashi ajouta :

« Il y a parmi elles les descendants de mon ancien troupeau.

– Vous les avez relâchées ? interrogea Kaoru qui s'affairait à photographier ces animaux qu'elle voyait pour la première fois.

– On peut dire ça.

– Comment s'appelle ce chevreau ? »

Hashi laissa passer un silence avant de répondre à la question de Kaoru :

« Je ne lui ai pas donné de nom.

– Pourquoi ? Il est si mignon, tout floconneux. Dites-moi, Hashi, c'est un mâle ou une femelle ? »

Comme il avait disparu dans la cuisine sans répondre, Kaoru tendit la main pour caresser la tête du chevreau en disant : « N'est-ce pas que tu aimerais avoir un nom ? »

Il la laissa faire une fois, avant de se réfugier avec un petit bêlement derrière Hanayo, dont il se mit à téter la mamelle gonflée comme un ballon de baudruche.

« Si je t'en choisissais un ? dit Kaoru. Désormais, tu t'appelleras… Pûno, ça te plaît ? Ça va aussi bien à un mâle qu'à une femelle. »

À l'heure où le soleil descendit à l'horizon, teintant l'herbe du jardin d'une lumière dorée, de grands plats étaient alignés sur la table. Il y avait du sashimi de coureur arc-en-ciel, un assortiment de tempuras, des langoustes crues. En attendant les invités, ils trinquèrent au *shôchû* de sucre brun allongé à l'eau chaude.

Hashi désigna du doigt l'assiette de tempuras.

« C'est du calmar récifal à grandes nageoires. Ce qu'on appelle de la seiche en métropole. C'est bon en sashimi, mais ça, vous allez m'en dire des nouvelles. Servez-vous avec les doigts. »

Il n'avait pas encore fini sa phrase que Kaoru en avait déjà saisi un morceau. Elle le trempa dans la sauce et l'engloutit. Ses yeux brillaient.

« Oh là là ! Incroyable ! Hashi, vous faites des merveilles en cuisine !

Ryôsuke, qui avait réagi moins vite, changea d'expression à son tour. Après les déboires de la veille, il avait encore la bouche meurtrie, mais sur son palais se déployait une saveur douce et puissante qui l'impressionna. Il avait beau avoir travaillé en cuisine, jamais il n'avait goûté une seiche si succulente.

« C'est vraiment délicieux, dit-il.

– Tachikawa est une andouille. Il ne sait pas ce qu'il rate », railla Kaoru.

Tachikawa était resté au fond de son lit, honteux de se montrer devant Hashi. Kaoru goûta ensuite au poisson et à la langouste crus. Elle se récria d'enthousiasme et but une large rasade de *shôchû* au sucre de canne. Les deux hommes au visage encore tuméfié enchaînèrent les verres d'alcool au même rythme qu'elle.

Un peu plus tard, les invités apparurent sur le chemin à travers champs : c'étaient l'institutrice, Mlle Yoshikado, vêtue d'une robe bleu marine, et, plus étonnant, Toshio.

« Mademoiselle Yoshikado, Toshio, vous voilà ! les accueillit Hashi.

– Bah alors... Bonjour », fit Toshio.

Hashi s'apprêtait à présenter Mlle Yoshikado, mais il se rendit compte que c'était inutile et il se contenta de dire : « Je vois que vous vous connaissez déjà.

– Ça a été terrible, hier, paraît-il », lança l'institutrice.

À peine attablée, elle dévisagea Ryôsuke de ses grands yeux humides luisant des reflets du jour qui déclinait. Répondant seulement « Désolé », il entreprit de se servir en glaçons, comme pour fuir son regard. À côté de lui, Kaoru s'excusa pour la forme : « Je suis navrée de ce qui est arrivé à cause d'eux.

– Bah alors, là, c'est Mutsu et les autres qui sont en tort. Parce que...

– Toshio, parlons d'autre chose. »

Interrompu par Hashi, Toshio ouvrit de grands yeux ronds. Pour le sauver de l'embarras, l'institutrice dit soudain « Regardez... », et elle leva un pied, dévoilant un escarpin blanc. « Je n'ai pas l'occasion de les porter en temps normal, alors aujourd'hui, ça me fait plaisir. Hashi m'a prévenue que vous viendriez, j'ai donc décidé d'étrenner ma nouvelle paire de chaussures. »

Hashi l'applaudit, tout sourire.

« Bah alors… On dirait une princesse, mademoiselle Yoshikado. »

Toshio avait les narines dilatées.

« Eh bien moi, depuis que je suis arrivée, je ne porte plus que ça. »

Face à Kaoru qui levait la jambe pour montrer une chaussure de sécurité, l'institutrice exhiba une nouvelle fois ses pieds chaussés d'escarpins.

« Mais vous allez bientôt retourner en métropole. Moi, je n'ai aucune occasion de les porter, sur l'île. Vous imaginez ce que peut ressentir une femme condamnée à vivre ici ?

– C'est sûr, ça ne doit pas être drôle. »

Les deux femmes si différentes d'apparence s'étaient mises à bavarder, et Hashi proposa de trinquer.

Le soleil s'était couché, embrasant la fine couche de nuages flottant sur la mer à l'horizon. Une lanterne halogène était posée sur la table. Bien que fonctionnant avec des piles, elle éclairait suffisamment la table et les alentours.

Le dîner fut un succès, animé par Mlle Yoshikado et Kaoru.

Toshio enchaînait les déclarations bizarres qui les faisaient s'écrouler de rire.

« Ça fait des années que je n'ai pas autant ri, lança l'institutrice.

– Vraiment ? » demanda Kaoru.

Hashi répondit pour elle :

« Quand elle est arrivée sur l'île, elle n'arrêtait pas de pleurnicher.

– À l'idée de passer plusieurs années ici, j'avais l'impression de gâcher ma vie.

– Bah alors, vous avez bien du courage. »

Toshio lui tendit son verre de *shôchû* et elle trinqua avec lui.

« Non, pas du tout. L'idée me révulsait totalement.

– Je lui ai appris à pêcher. Elle avait l'air tellement triste. »

Hashi faisait mine de rembobiner le moulinet d'une canne à pêche.

« Ce jour-là, j'étais sur la digue à regarder la mer.

– Oui. Elle avait l'air complètement ailleurs, je me suis demandé si elle n'allait pas sauter. Alors, je l'ai accostée.

– Vous savez, quand je lui ai annoncé que je partais, mon promis m'a dit adieu.

– Votre fiancé ? » s'enquit Ryôsuke.

Elle acquiesça de la tête.

« Donc, Hashi m'a proposé d'aller pêcher avec lui. Je ne le connaissais pas très bien, et je n'avais jamais pêché. Mais je lui ai trouvé l'air triste, à lui aussi… On s'y est mis au crépuscule, sur la digue, et on a pris des chinchards en veux-tu en voilà.

– Mlle Yoshikado a eu le courage de m'accorder sa confiance. Au retour, nous sommes allés chez moi dans ma camionnette et nous avons mangé ensemble des tempuras de chinchard. C'est comme ça que vous avez attrapé le virus de la pêche, n'est-ce pas ?

– Si, ce jour-là, vous ne m'aviez pas appris à pêcher, j'aurais sans doute fini par craquer. »

Hashi hocha la tête d'un air dubitatif.

« Tout de même, vous n'êtes pas si fragile. Les hommes de l'île sont bien plus faibles. Vous les menez par le bout du nez.

– Ah non, on ne parle pas de ça !

– Ils sont fous d'elle. Du coup, les femmes d'ici ne la voient pas d'un bon œil.

– Eh bien ça alors, c'est la classe ! » applaudit Kaoru.

L'institutrice protesta en agitant les mains : « Mais non ! » Et elle implora Ryôsuke du regard qui, incapable d'autre chose que de sourire, glissa seulement un « Mais... ».

Les deux femmes lui rétorquèrent à l'unisson : « Mais quoi ? » Comme les mots ne lui venaient pas, il se leva soudain, sans but précis. L'institutrice en fit autant en disant :

« C'est pas vrai, ça ! Allez, je vais traire Hanayo. »

D'un pas mal assuré, elle s'approcha de l'étable. Les deux bêtes, sans doute habituées à elle, vinrent sans hésiter se frotter contre ses jambes.

« Pas quand vous avez bu ! objecta Hashi en lui apportant un saladier en inox et un spray désinfectant. Les germes font immédiatement tourner le lait », expliqua-t-il à Ryôsuke et Kaoru qui observaient la scène, un peu à l'écart.

Il palpa du bout des doigts l'arrière-train de Hanayo.

La chèvre émit un bêlement de contentement et urina à grands jets.

« Elle sera plus facile à traire comme ça.

– Sa mamelle est imposante par rapport à son corps », remarqua Kaoru, qui s'était mise à prendre des photos.

Hashi essuya les pis de Hanayo.

« Elle a mis bas deux fois, cette année. Mais elle donne vingt fois moins de lait qu'une vache.

– Et moi, je donnerais sûrement vingt fois moins de lait que Hanayo, c'est-à-dire quatre cent fois moins qu'une vache », commenta l'institutrice qui se livrait à un drôle de calcul.

Elle entreprit de traire délicatement Hanayo. Le lait jaillit en chuintant sur le côté, en un arc blanc qui alla mouiller l'herbe. Hashi déplaça le saladier afin de le recueillir.

« Bah alors... On fait du yaourt aujourd'hui, ou on le boit comme ça ? » demanda Toshio en levant son verre.

Hashi murmura : « Je n'ai pas envie de me compliquer la vie.

– Buvons-le d'abord tel quel, proposa l'institutrice qui trayait toujours la chèvre.

– Oui. En plus, on a des Tokyoïtes avec nous », dit Hashi.

À eux deux, ils avaient décidé du sort du lait, dont le niveau continuait à monter dans le récipient.

« Il faut en laisser pour le petit », remarqua Mlle Yoshikado.

Elle cessa de traire Hanayo. C'est alors que Kaoru, innocemment, leur annonça :

« Le petit, il s'appelle Pûno. »

Hashi l'observa.

« Puisque vous m'avez dit qu'il n'avait pas de nom, je lui en ai donné un, tout à l'heure. Pûno. Je ne savais pas si c'était un mâle ou une femelle, alors j'ai choisi un nom qui conviendrait aux deux...

– Tu l'as baptisé ? Tu lui as donné un nom ? »

Le trouble de Hashi était visible. L'institutrice s'exclama « Vraiment ? » et quitta son tabouret. Le chevreau trotta vers Hanayo et se mit à téter vigoureusement, comme pour reprendre possession de la mamelle que les humains lui avaient volée.

« Il a un nom ; il a donc un nom », répétait Hashi en emportant le récipient de lait vers la table.

L'atmosphère avait changé du tout au tout. Kaoru s'approcha de Ryôsuke et lui murmura tout bas : « On dirait que j'ai fait une bêtise.

– Pardon de l'avoir baptisé sans vous demander la permission », dit Ryôsuke.

Toshio lui donna un coup de coude dans les côtes.

« Bah alors... Il faut pas, c'est pas bien de lui donner un nom.

– On reparlera de cette histoire de nom plus tard... En attendant, buvez donc, pour voir », déclara Hashi.

Lorsque tout le monde fut réinstallé à table, il remplit les verres du lait fraîchement tiré. À son aspect, on devinait qu'il était plus fort que du lait de vache.

« Certaines personnes trouvent que ça sent la bête, mais c'est une question de goût », ajouta-t-il.

Sur son invitation, Ryôsuke examina le lait dans son verre. Il n'était pas seulement blanc ; il incarnait la blancheur.

D'après sa mère, il en avait bu quand il était tout petit, mais il n'en avait aucun souvenir. Après la disparition de son père, tout avait changé. Du plus loin qu'il se souvienne, sa vie seul avec sa mère avait été une longue succession de déménagements.

Il porta délicatement le verre à ses lèvres. Effectivement, l'odeur était particulière. Plus qu'une odeur de bête, c'était un parfum d'herbe. Il avait l'impression à la fois de renouer avec une sensation ancienne et d'en découvrir une toute nouvelle.

Il prit une gorgée, qu'il mastiqua sans se presser. Le lait ne se buvait pas mais se mâchait, comme Ryôsuke l'avait appris en cuisine. Et en effet, le lait de Hanayo avait une texture dense. Il était sucré. Épais. Franc. Généreux et robuste.

« Hmmm…, laissa-t-il échapper, les yeux dans ceux de Kaoru.

– Ça rend accro, remarqua Hashi. C'est vraiment ce qu'on appelle du lait maternel. »

L'institutrice acquiesça et ajouta avec un regard en direction de l'étable :

« Hanayo est particulièrement douée, je trouve. Le yaourt préparé avec son lait est un délice.

– Bah alors, moi, j'adore ça.

– Je vais en préparer ce soir de toute façon, sinon le lait tournera. Je vous en apporterai à l'auberge demain. »

Hashi s'était adressé à Ryôsuke et Kaoru, mais l'institutrice leva la main.

« J'en voudrais aussi, s'il vous plaît. Votre yaourt fait maison est tout simplement exquis.

– Cela n'a rien à voir avec ma technique, c'est Hanayo

qui est une chèvre exceptionnelle. Parce que c'est une *saanen*, une chèvre laitière.

– Une chèvre laitière ? répéta Kaoru.

– Oui. Une race améliorée par l'homme pour obtenir du lait. Donc… Ah, zut, bredouilla Hashi. Donc, le petit que vous avez baptisé… C'est quoi son nom, déjà, Pouno ?

– Pûno… Pardon d'avoir décidé sans votre permission, dit Kaoru.

– Ne t'en fais pas. Lui, c'est un mâle. De race laitière certes, mais il n'a aucune utilité. Tsuyoshi me suffit pour la reproduction. Donc, après le chevreau utilisé pour la fête d'hier, on tuera aussi celui-là bientôt. Il a déjà été acheté… Par le Président.

– On le tuera bientôt ? »

Ryôsuke s'était tourné vers l'étable.

« Pour sa viande », confirma Hashi.

Le petit être blanc était accroché à la mamelle de Hanayo. Une créature vivante, pareille à une peluche duveteuse, qui tétait. Ses yeux dorés brillaient.

« Mais… Pardon ? La fête d'hier ? demanda Kaoru en roulant des yeux.

– Le fait-tout renversé dans la bagarre. Dedans, c'était la viande d'un petit de Hanayo. »

Ryôsuke, bouche bée, fixait Hashi.

« La viande dont j'ai moi aussi mangé une bouchée ?

– C'est la tradition, sur cette île.

– Un petit comme lui ? »

Il montrait du doigt Pûno. Hashi acquiesça.

« C'est pas vrai… »

Kaoru s'était couvert le visage de ses mains. Ses lèvres pincées formaient un rictus.

L'institutrice prit la défense de Hashi :

« Ici, les chèvres ont toujours été élevées pour leur chair, paraît-il. Mais quand Hashi est arrivé, il a tenté de faire des produits laitiers. Il pensait pouvoir fabriquer du yaourt et du fromage à partir du lait des vaches et des chèvres. »

Hashi secoua une main en signe de dénégation.

« Exactement, et ça n'a absolument rien donné. Faire des bénéfices avec du fromage, c'est mission impossible. Le Président a été déçu. Au bout du compte, les gens continuent à manger les chèvres. C'est pour ça qu'hier, j'étais vraiment dépité que la viande ait été gâchée. Et je crois que c'était pareil pour le Président et les autres. »

Toshio, à côté de lui, hocha la tête.

« Bah alors, moi aussi, j'étais triste.

– C'est le patron de l'auberge qui a tué le petit, précisa Hashi, le Président, lui, ne s'en occupe que très rarement. Mais c'est moi qui en ai pris soin après que Hanayo a mis bas. Tout ça pour ça… »

Hashi regarda Pûno qui tétait le pis de Hanayo.

« Vivre sur une île… c'est devoir faire soi-même tout ce qu'on n'a pas besoin de savoir faire en ville, parce que quelqu'un d'autre s'en charge pour vous ; c'est dur. Le fondement de l'existence humaine est assez cruel.

– Je vois… Ça n'a rien de facile, dit Kaoru en poussant un gros soupir, les yeux sur son verre de lait.

– Bah alors… Non, ça n'a rien de facile, et puis, bah alors, pour moi aussi c'est dur parfois.

– C'est dur, n'est-ce pas, renchérit l'institutrice.

Toshio est revenu sur l'île, et maintenant il distribue le courrier tout seul.

– Bah oui… J'ai quitté l'île, mais ailleurs aussi c'était dur, alors je suis revenu. C'est dur partout, pouah !

– On est tous comme ça, ici, constata Hashi. Ce n'est pas parce que c'est une île que c'est le paradis. Au contraire. C'est un ramassis de déclassés. Une véritable encyclopédie du genre humain.

– Mais vous, Hashi, vous vouliez faire du fromage pour l'île, dit Mlle Yoshikado, et pourtant, personne ne vous a soutenu. Alors… »

Il la coupa, l'index posé sur ses lèvres :

« Fabriquer du fromage de chèvre, en un sens, c'était aller à l'encontre de la coutume… c'était perdu d'avance. Et puis, faire du fromage avec le peu de lait produit par les chèvres était déjà impossible en soi. Pour le lait de vache, les villageois ont compris, mais ça les enquiquinait et ils ont tous laissé tomber. Aujourd'hui, il n'y a plus que des vaches à viande. » Il poursuivit : « Les chevreaux sont mignons, c'est vrai. Je préférerais les laisser grandir, si j'avais le choix. Mais les deux qui sont nés cette année m'ont été achetés par le Président. Sans doute qu'il fêtera la mise en service du nouveau réservoir d'eau en offrant un repas dans la salle communale. Parce que les hommes de l'île se sont beaucoup investis. Ou alors, pour la cérémonie de passage à l'âge adulte de son fils. Quoi qu'il en soit, le destin de ce petit n'est pas de vivre. Voilà pourquoi je ne lui avais pas donné de nom. Dès l'instant où on les baptise, les pinzas cessent d'être des chèvres à viande pour devenir, comment dire… des membres de la famille à part entière. »

Kaoru se tassa sur elle-même. Ryôsuke, sans rien dire, regarda son profil, tête baissée.

« Mais Pûno, c'est un joli nom », reprit Hashi.

Mlle Yoshikado et Toshio tournèrent la tête vers l'étable.

« C'est vrai qu'il suffit de dire une fois son nom pour qu'il devienne vraiment Pûno, remarqua l'institutrice.

– C'est dommage », conclut Hashi en vidant son verre de *shôchû*.

Tout le monde se tut.

Mlle Yoshikado brisa le silence en demandant à Hashi, avec quelques précautions oratoires :

« Je ne vous ai jamais posé la question, mais… où avez-vous découvert le chèvre ? »

Aussitôt, le visage de Hashi se figea.

« Le chèvre, comme on dit en français… », ajouta-t-elle.

Il tenta de l'interrompre :

« Oui, je sais bien. »

Il ouvrit la bouche pour continuer, les yeux ailleurs. Son trouble était évident. Que lui arrivait-il ? Kaoru et l'institutrice échangèrent un regard. Comme pour échapper à cette atmosphère, il essaya de s'expliquer en balbutiant :

« Hum, on désigne par le même terme, “chèvre”, l'animal et, hum, le fromage confectionné à partir de son lait. Et hum… à vrai dire… »

À ce point de son discours, il changea de position sur son siège afin de faire face à Ryôsuke qui détourna les yeux pour fixer les reflets de la lumière dans son verre.

« Quand j'étais jeune, avec mon meilleur ami, nous

nous sommes juré de devenir fermiers. C'était alors notre rêve. Il s'est marié et il a eu un enfant. Et ensemble, nous avons contracté un gros emprunt. Nous nous sommes installés dans la région du Shinshû, vers Nagano. À l'époque, mon meilleur ami, sa femme et moi avons tous travaillé dur pour réaliser notre rêve. Mais au bout du compte, nous nous sommes séparés. Et puis... après avoir roulé ma bosse, j'ai fini par arriver sur cette île.

– C'est vrai ? demandèrent Kaoru et l'institutrice, émues.

– C'est quelque chose, la vie », commenta Kaoru en remplissant son verre de *shôchû*.

Mlle Yoshikado reprit la parole :

« C'est donc depuis ce temps-là que vous voulez faire du chèvre ? »

Hashi regarda à tour de rôle l'institutrice qui l'interrogeait et Ryôsuke qui l'écoutait sans dire un mot.

« Dès le départ, nous étions fixés sur le fromage de chèvre et non de vache. Comme les vrais fermiers. Nous voulions faire ce qui était impossible pour les grands producteurs laitiers. Et puis, un bon fromage a une saveur et une valeur complètement différentes. Le chèvre, c'est un produit de luxe. Nous tablions sur le fait que de plus en plus de Japonais apprécieraient ce type de fromage. Mais... ça a été un fiasco. »

Ryôsuke avait doucement relevé la tête, et Hashi le regarda droit dans les yeux.

« Me séparer de mon meilleur ami était une erreur, et tenter de fabriquer du fromage sur cette île en était une autre. Je n'ai cessé d'accumuler les échecs, et voilà où j'en suis aujourd'hui.

– Qu'est-ce que vous racontez ? Moi, je trouve qu'on peut compter sur vous », rétorqua l'institutrice, une pointe de colère dans la voix.

Même Toshio ajouta : « Bah alors, mais non, faut pas dire ça », comme pour raisonner Hashi.

« Non. Un échec, c'est un échec. »

Un sourire triste aux lèvres, pareil à une ombre, il regarda une nouvelle fois Ryôsuke.

Dans les champs de canne à sucre plongés dans les ténèbres, un froissement de jeunes pousses s'éleva. Puis, avec un temps de retard, une bouffée de vent humide leur parvint.

13

Tous les travaux liés à la nouvelle conduite d'eau furent achevés une semaine plus tard. Un banquet fut organisé pour la forme dans la salle communale, après la cérémonie marquant l'achèvement des travaux. Ryôsuke et Kaoru s'inquiétaient de voir servir Pûno en ragoût, mais, en raison du précédent chaotique dans l'enceinte du temple, l'alcool et les choses à grignoter étaient réduits à leur plus simple expression. Mieux encore, Mutsu, qui avait provoqué la bagarre ce jour-là, n'était pas sur l'île.

Il avait été victime d'un drôle d'accident. Sa vache s'était enfuie de son étable et, en tentant de la maîtriser, il s'était démis l'épaule. Après avoir reçu les premiers soins à la salle communale, il avait été transporté jusqu'à la ville de R. dans un chalutier. Pendant le trajet, il avait répété à ceux qui l'accompagnaient que le licol de sa vache avait été détaché exprès et l'étable laissée ouverte. Le Président l'avait paraît-il houspillé, « c'est parce que tu bois trop », mais les villageois, comme un seul homme, s'étaient mis à la recherche du coupable.

Pendant le banquet, Tachikawa s'était docilement

retiré dans un coin de la salle communale. Il avait bu en silence, serré la main de Hashi et échangé quelques mots en riant avec Toshio. Ryôsuke s'était conduit sensiblement de la même façon. Il avait posé pour une photo avec Kaoru et Tachikawa, remercié Hashi et le contremaître. Il avait aussi échangé une unique poignée de main avec Mlle Yoshikado, arrivée en retard. « Revenez-nous voir sur l'île », avait-elle dit en lui tendant la main.

Le ferry partait le lendemain. Les saisonniers monteraient à bord, laissant derrière eux le contremaître chargé de réparer les vieilles conduites d'eau.

Le soir, ils s'installèrent tous les trois à plat ventre sur les futons. Une bouteille de *shôchû* à portée de main, chacun sirotait son verre en repensant à ces deux mois pleins consacrés à creuser une tranchée.

Tachikawa s'excusa des problèmes qu'il avait causés et grommela, la gorge serrée :

« En fin de compte, qu'est-ce que je suis venu fabriquer ici ?

– Moi, ça m'a paru long », assena Kaoru, avant d'ajouter : « Heureusement que Pûno n'a pas été tué pendant notre séjour.

– Toi, Kaoru, ça va, non ? lança Tachikawa. T'as pris plein de photos, t'auras de quoi t'occuper de retour à Tokyo. Mais moi, j'ai rien. Pas de diplôme. Pas d'argent. Et pas de petit boulot, ces derniers temps. C'est pareil pour toi, non, Ryôsuke ? Au niveau de l'âge, tu commences à être limite. »

Il insista : « Vraiment limite. » Ryôsuke l'écoutait marmonner tout en s'interrogeant : comment leur annoncer sa décision ? Depuis qu'il avait vu la façon dont vivait Hashi, quelque chose avait profondément changé en lui. C'était le moment ou jamais de parler. Il prit une gorgée de *shôchû* et reposa doucement son verre.

« Désolé, mais je ne retourne pas à Tokyo. »

Tachikawa releva la tête, interloqué. Kaoru sursauta.

« Je ne repars pas. Je ne prendrai pas le ferry demain.

– Tu vas aider le contremaître pour les travaux ? » demanda Kaoru en tendant le cou pour mieux le voir.

Tachikawa s'approcha.

« C'est quoi, cette histoire ?

– Je voudrais tester quelque chose. J'ai l'intention de rester ici un moment.

– Si c'est pour l'instit, tu ferais mieux de laisser tomber », lança Kaoru.

Il secoua la tête en signe de dénégation.

« Non, ce n'est pas ça.

– Mais, t'as de l'argent ? Il va falloir te trouver un endroit où vivre. »

Tachikawa avait mis le doigt sur un point concret.

« Je n'ai rien décidé.

– C'est n'importe quoi, monsieur le taciturne », rétorqua Tachikawa en éclatant de rire, estomaqué.

Il se réinstalla à plat ventre sur son futon et prit une gorgée de *shôchû*, le regard fiévreux. Il rigolait tout seul : « Sacré Ryôsuke.

– Mais pourquoi ? Tu ne ferais pas mieux de repartir, de commencer par mûrir ton projet ? »

Kaoru paraissait inquiète.

« Et alors… tu vas faire quoi ? s'enquit Tachikawa.

– Pardon.

– Pardon de quoi ?

– J'ai trouvé un objectif, c'est vrai, mais pour l'instant…

– Tu rigoles ? »

Tachikawa émit un claquement de langue et s'allongea sur le dos, les yeux au plafond. Kaoru l'imita. Quelques minutes plus tard, Tachikawa reprit la parole :

« Dis-moi, Ryôsuke. Je sais que ce n'est pas le genre de question à poser, mais…

– Quoi ?

– Comment dire… tu as des problèmes psychologiques, ou un truc comme ça ? »

Ryôsuke releva la tête, fixant Tachikawa.

« Oui… sans doute.

– Et cette blessure en toi, tu cherches à la soigner ? Ou à l'oublier ? »

Kaoru plissa les yeux, songeuse.

« Ça alors, ça t'arrive d'aborder des sujets compliqués.

– Je sais pas si c'est compliqué. Mais je pense qu'on ne s'y prend pas de la même façon selon qu'on veut guérir ou oublier. Tu vois, Ryôsuke, moi j'ai arrêté le lycée en cours de route et je me suis pas foulé, je me suis laissé porter. Je suis devenu complètement stupide, mais tu sais, en primaire, j'étais plutôt bon élève.

– Je ne t'ai jamais trouvé stupide.

– C'est vrai. T'es pas stupide, t'es juste une andouille, dit Kaoru.

– Ça va, c'est pas la peine de prendre des gants. J'en ai conscience. »

Il enfouit son visage dans l'oreiller et poussa un long soupir.

« Mes parents se sont séparés quand j'étais à l'école primaire. Mon grand frère est parti avec ma mère. Moi aussi, je voulais aller avec elle, mais elle m'a dit qu'elle ne pouvait pas nous prendre tous les deux, et j'ai dû rester avec mon père. Il n'a pas tardé à se remarier, et j'ai eu une nouvelle maman. Les choses se sont compliquées : quand le bébé est arrivé, je n'ai plus eu ma place. Et tout est parti en vrille. J'ai complètement arrêté de bosser à l'école. Du coup, quand on me critique sur mes études ou mes diplômes, ça m'énerve. Genre, "c'est de ta faute, t'as rien foutu". Je sais bien que c'est ce que les gens pensent. Mais ça, c'est bon pour ceux qui ont leurs deux parents. Moi, à un moment important de ma vie, je n'avais nulle part où aller... Je n'ai pas eu l'occasion de me concentrer sur mes études. »

Il continua, sans regarder Ryôsuke ni Kaoru :

« Mais je me déteste de m'énerver pour ça. Mon passé, ces jours pourris, j'ai envie de les oublier. C'est pour ça que j'ai jamais fait grand-chose, j'ai vécu un peu comme si c'était un jeu... mais ça ne marche pas. J'ai beau me laisser porter, rien ne change. Mon existence n'a aucune réalité. J'ai pas l'impression de vivre. Et du coup, j'arrête pas de ruminer le passé. Mais... je suis un être humain, quand même. Je sais bien que je peux pas continuer comme ça. Alors j'ai envie de réalité. Même si ça doit être une question de vie ou de mort. Et dans ce cas, j'arriverais sans doute mieux à guérir de ce qui me fait souffrir. »

Kaoru hocha la tête et vida son verre.

« Tachikawa, si tu as conscience de tout ça, t'es sur la bonne voie.

– Mais j'ai pas de vision, comment dire, je suis pas comme Ryôsuke, je sais pas quoi faire. »

Ryôsuke scrutait le profil de Tachikawa. Il murmura « Merci ».

Tachikawa remplit en silence leurs trois verres de *shôchû*.

« Moi, avant de venir ici, il m'est arrivé quelque chose de vraiment horrible, commença Kaoru, les yeux sur le verre qu'elle tenait à la main. J'ai eu envie de mourir un nombre incalculable de fois.

– Ah bon ? Pourquoi tu nous as rien dit ? »

Tachikawa roula sur lui-même pour s'approcher, mais Kaoru l'arrêta d'un geste, « Reste où tu es ».

« Parce que ce truc horrible, c'était une histoire de mecs. Je ne suis pas encore prête à m'en remettre. Avant tout, je veux oublier. Je voulais voir crever tous les hommes. Alors, pardon, mais j'ai encore du mal.

– C'est quoi, ce truc ? On t'a forcée, ou quoi ?

– Garde tes questions, andouille. »

Elle avait lancé un regard noir à Tachikawa.

« T'es pas sympa, je me fais du souci, c'est tout.

– Avant… des piercings, je n'en avais pas autant. Mais quand ça m'est arrivé, j'ai décidé que je ne plierais pas face à la douleur. C'est pour ça que je me suis imposé ce défi. Et ça aussi. » Elle désigna la rose tatouée sur son bras. « Je ne sais même pas si j'aime vraiment les roses. Mais je voulais une preuve que la souffrance m'indifférait.

– Eh ben. On est tous dans un sale état », constata Tachikawa.

Il roula une nouvelle fois sur lui-même et regarda Ryôsuke comme pour l'encourager à parler. Mais Ryôsuke garda le silence.

« Tu lâches rien, monsieur le taciturne.

– Désolé, mais je ne sais pas encore trop où je vais.

– C'est une sacrée décision », dit Kaoru.

Ryôsuke acquiesça, mais les mots lui manquaient et il se prit la tête entre les mains.

« C'est rigolo. Un type à la ramasse comme toi, dans quoi tu t'embarques... On pourrait faire un bout de chemin ensemble », lança Tachikawa.

Ryôsuke le regarda, éberlué.

Tôt le lendemain matin, les trois jeunes gens annoncèrent au contremaître venu leur remettre leurs billets de ferry qu'ils n'avaient pas l'intention de repartir. Il parut totalement désarçonné, cela faisait de la peine à voir. Il avait la tête de quelqu'un au bout du rouleau.

« Vous ne voulez vraiment pas repartir ? Pensez à ma position vis-à-vis du Président. »

Il les regardait, comme vidé.

« À la différence du groupe précédent, vous ne vous êtes pas drogués. Mais vous vous êtes battus, et une vache s'est enfuie... Vous m'avez quand même donné du fil à retordre. Maintenant que les travaux sont enfin terminés, je pensais pouvoir souffler un peu. Quelle mouche vous a piqués ? »

Ryôsuke s'inclina en silence. Tachikawa et Kaoru firent de même.

« Vous ne pourriez pas retourner en métropole quelque temps et revenir plus tard ? Parce que là, ça relève de ma responsabilité. J'ai des comptes à rendre, moi.

– Nous sommes désolés, dit Ryôsuke.

– Et votre salaire ? Il est versé sur votre compte bancaire. Je ne peux pas vous le remettre en mains propres. Vous ne pouvez pas rester ici, comment allez-vous vivre ? Il n'y a même pas de distributeur bancaire. »

Ryôsuke réitéra ses excuses.

« Dites-moi, c'est pour l'institutrice ?

– Non.

– Parce que si c'est le cas, vous feriez mieux de vous abstenir. Elle en a déjà fait tourner plus d'un en bourrique. Ces derniers temps, même le fils du Président perd la tête, à lui tournicoter autour. Mais c'est elle qui lui a fait du rentre-dedans. »

Kaoru jeta un coup d'œil à Ryôsuke, l'air de dire, « tu vois ? ».

Ryôsuke regarda le contremaître en face et secoua la tête, déterminé.

« Ce n'est pas ça. Je voudrais tester quelque chose.

– Vous deux aussi ? »

Le contremaître scruta Tachikawa et Kaoru. Eux qui n'avaient fait que suivre le mouvement étaient bien embarrassés ; ils se contentèrent de répondre dans le vague « Euh, oui », « C'est ça ».

Au bord des larmes, le contremaître se pencha vers eux.

« Dites-moi… C'est vous-mêmes que vous voulez tester ? Vous vous cherchez ? »

Il semblait avoir perdu le contrôle de lui-même. Ses épaules et sa poitrine se soulevaient au rythme de sa respiration saccadée.

« Quand on cherche à acquérir son autonomie, on s'arrange d'abord pour ne pas causer d'embarras aux autres, vous ne croyez pas ? Qu'est-ce que vous fabriquez ? Si vous ne prenez pas ce ferry, vous allez tout foutre en l'air. »

Sa main qui tenait les trois billets tremblait.

« Non mais… tu es tellement terrorisé que ça fait pitié à voir », intervint soudain la vieille femme qui préparait le petit déjeuner dans la cuisine.

Le contremaître se tassait à vue d'œil.

« Tu donnes des leçons d'indépendance ? Alors que tu n'en fiches pas une et que tu es criblé de dettes ? C'est parce que tu es le neveu du Président qu'on te donne du travail ici. Monsieur le contremaître, tu parles, il n'y a que ces trois-là pour t'appeler comme ça. Tu connais quelqu'un sur l'île qui te donne du "monsieur le contremaître" ? S'ils disent qu'ils veulent faire quelque chose ici, eh bien tant mieux. C'est tout de même pour ça qu'on est allés chercher des saisonniers en métropole. Tu en as déjà vu, toi, des jeunes qui voulaient rester sur l'île ? C'est une chance, soutiens-les. »

Elle s'essuya les mains sur son tablier et se tourna vers Ryôsuke et ses compagnons, à qui elle adressa un bref sourire complice. Le contremaître ouvrait et refermait la bouche, pareil à une carpe hors de l'eau.

« Dans ce cas, il faut en parler au Président, déclara-t-il. Ce n'est plus de mon ressort. »

Le parrain de l'île est donc vraiment incontournable,

songea Ryôsuke avec amertume. À sa grande surprise, la vieille femme acquiesça : « Oui, allez d'abord le voir.

– Et pourquoi ce serait à lui de décider ? » lança Tachikawa.

Il semblait se poser la même question que Ryôsuke. Une fois de plus, le contremaître faillit s'étouffer. La vieille femme leur lança un regard perçant.

« Si vous voulez rester ici, il faudra vous y faire. Mon frère, il s'est fait mal voir du Président juste parce qu'il n'était pas assez aimable. À l'époque, il a été mis à l'index, tout le monde lui battait froid.

– Tais-toi donc », fit une voix dans le couloir, et la porte s'ouvrit sur le patron de l'auberge.

« Vous voulez rester ici ?

– Oui.

– Abandonnez cette idée. C'est pas un endroit pour les jeunes. »

Sur ces mots, il referma la porte avec fracas et s'éloigna en faisant claquer ses talons.

Le contremaître se prit la tête entre les mains. La vieille femme toucha ses cheveux blancs, l'air pensif.

« Permettez-nous de rester à l'auberge jusqu'à ce que nous trouvions où loger, s'il vous plaît », l'implora Ryôsuke.

Elle lui adressa un regard dur.

« D'accord. Mais si vous ne trouvez pas ?

– On pourrait peut-être travailler ici ?

– Ici, c'est-à-dire, pour nous ? »

Il hocha la tête ; le visage du contremaître se décomposa.

La vieille femme scruta Ryôsuke et lui répondit d'une voix dénuée d'émotion :

« Ici, c'est une sorte de dortoir qui ne sert que pendant les travaux. Il n'y a pas de touristes, c'est comme si on était fermés. Comment voudrais-tu qu'on embauche ? Et en plus, trois personnes. »

Ryôsuke baissa les yeux.

« On dormira à la belle étoile, murmura Tachikawa.

– Bonne idée ! » se réjouit Kaoru.

14

Dans le salon du Président trônait un objet en bois biscornu. Il semblait avoir été fabriqué avec une branche de banian polie. On pouvait trouver cela artistique, mais pour Ryôsuke, l'objet gâchait plutôt l'ensemble de statuettes des sept divinités du bonheur posées à côté.

« C'est ennuyeux », fit le Président.

Il fronça ses épais sourcils et pinça les lèvres, peut-être pour signifier son embarras. Cela ne pouvait qu'inciter les trois jeunes gens à l'écouter en silence.

« Je pense que vous avez compris que vivre sur l'île, ça n'a rien de l'univers de cinéma que vous imaginiez.

– Mais c'est une bonne chose que la population de l'île augmente, non ? » lança Tachikawa.

Le Président rit du bout des lèvres.

« Exact. C'est dans cette optique qu'on fait venir des jeunes de métropole pour les travaux. Je me dis que parmi eux, il y en aura peut-être qui aimeront l'île.

– Alors, ça baigne ? Puisqu'on vous propose de rester.

– Ça, c'est valable pour les gens qu'on souhaite garder. De notre côté, pendant ces deux mois, nous vous avons testés pour déterminer si vous étiez dignes de rester ici.

– Vous nous avez testés ? s'écrièrent en chœur Kaoru et Tachikawa.

– Ce n'est pas que je ne vous apprécie pas, mais laissez-moi vous parler franchement. Personne, parmi les habitants de l'île, ne souhaite vous garder. En d'autres termes, l'attirance n'est pas mutuelle. Si un homme avait voulu t'épouser, les choses auraient été différentes, mais ce n'est pas le cas. »

Kaoru, que le Président avait regardée, fit la grimace.

« Et puis… Il y a eu l'incident avec la vache de Mutsu. Ça s'est soldé par une épaule démise parce qu'il est fort comme un taureau, mais imaginez si ça avait été un enfant. Il serait sans doute mort. Dire que c'est arrivé ici, sur notre île ! C'est terrible.

– Vous insinuez que c'est nous les coupables ? demanda Tachikawa avec un regard en coin.

– Je n'en sais rien. Tant que le coupable n'avouera pas, on ne saura pas. Mais ce qui est sûr, c'est que certains pensent que c'est votre œuvre. Si vous restiez ici, dans ces conditions, ce serait un peu comme un préavis de tempête ou un typhon hors saison… Vraiment, je suis ennuyé. Je serais ravi que vous reveniez nous rendre visite, mais vous installer ici pour mettre la pagaille en faisant les choses à votre façon, non merci. L'île a ses propres règles. Sa propre politique. C'est parce que nous sommes soudés autour de nos valeurs qu'une si petite île réussit à survivre. Et vous qui n'avez même pas de travail, vous entendez vous installer chez nous et faire ce qui vous chante ? Êtes-vous bien décidés à passer votre vie ici ? »

Les trois jeunes gens ne trouvèrent rien à répondre. Le Président s'adressa alors directement à Ryôsuke :

« Monsieur Kikuchi, où avez-vous l'intention de loger ? »

Ryôsuke pencha la tête, incertain. Le silence se prolongea. La femme du Président fit son apparition avec des petits gâteaux sur un plateau.

« Il n'a rien contre vous, affirma-t-elle, il s'inquiète juste des difficultés qui vous attendent. C'est un être pur, vous savez, comme les animaux des îles Galápagos.

– Tais-toi, tu veux bien.

– Oui oui », fit-elle, mais elle ajouta avant de se retirer : « Vous feriez mieux de réfléchir, pour votre bien.

– Je t'ai dit de te taire ! »

Kaoru jeta un regard mauvais au Président qui criait sur sa femme et lança :

« À bas le pouvoir, à bas la violence domestique ! Je ne plierai pas sous la douleur. »

Il la dévisagea, interloqué. Sans doute ne comprenait-il pas de quoi elle parlait. Sans se laisser démonter, Tachikawa déchira le sachet d'un des petits gâteaux et engloutit ce qui ressemblait à un *manjû* au sucre de canne.

« Bon, ça va aller, non ? » fit-il.

Le président haussa ses épais sourcils.

« Je l'espère. Bref, vous êtes jeunes, vous avez besoin de voir du pays. Faites du camping ou je ne sais quoi ici, et quand vous en aurez assez, allez voir ailleurs. Envolez-vous loin, en Europe ou en Amérique. La jeunesse passe en un clin d'œil. Il ne faut pas la gâcher. »

Ryôsuke et ses compagnons contemplaient les sept divinités du bonheur en silence.

15

Le lendemain, Ryôsuke se dirigea vers le mont Aburi. Il avait envie de voir la chèvre tachetée. Côtoyer les animaux de la forêt le conforterait dans sa décision, il le sentait.

Le paquet qu'il devait remettre à Hashi dormait toujours au fond de son sac à dos, tout comme les questions qu'il avait pour lui, enfouies dans sa poitrine. Il n'avait pas rempli un seul des objectifs premiers de sa visite sur l'île.

Il dépassa le temple abandonné et s'engagea sur le sentier de montagne, laissant derrière lui le banian contre lequel Tachikawa avait lancé un caillou. L'endroit où étaient enterrées les canalisations en PVC était signalé par une bande de terre de couleur différente. Se retrouver là lui rappelait la sueur versée et les quolibets des villageois.

Près du réservoir d'eau, il s'immobilisa. Il y avait un homme au visage égratigné et avec un bras en écharpe.

« C'est la conduite d'eau construite par papa. »

C'était Mutsu. À ses côtés se trouvait une fillette, l'une des élèves de Mlle Yoshikado. Ryôsuke s'était promené ici avec l'institutrice.

Instinctivement, Ryôsuke s'inclina.

Mutsu, d'abord bouche bée, l'interrogea : « Qu'est-ce que tu fais là ? »

Sans répondre, Ryôsuke pressa le pas. Il gravit la côte en écartant les herbes.

Le trouble visible de la fillette l'avait ébranlé. Mutsu, lorsqu'il s'était retourné, affichait une expression paternelle, effacée de son visage à l'instant où il avait posé les yeux sur lui. Tout ce qu'il avait réussi à faire, c'était embarrasser la fille de Mutsu.

Une nouvelle fois, il comprit la grande difficulté qu'il aurait à rester ici. Si les habitants se liguaient contre lui, il ne tiendrait pas une journée. C'était ça, la vie sur une île.

Il continua son ascension.

Il atteignit le raidillon qui menait à la fourche de la Pente aux hommes et de la Pente aux femmes. Il était essoufflé, le front couvert de sueur. La première fois qu'il était venu ici, la saison des pluies était moins avancée. À l'approche de la mousson, les rayons du soleil chauffaient comme en plein été. Il grimpait un peu, s'arrêtait pour reprendre son souffle et repartait.

La fourche disparaissait sous les vrilles qui poussaient à foison. Sans hésiter, il tourna à gauche, du côté de la Pente aux femmes, moins escarpée. Il progressa à travers la forêt touffue en regardant de temps à autre par-dessus son épaule.

Plus bas sur le versant, des fourrés frémissaient. Étaient-elles cachées là ? Ou était-ce le vent ?

Le sentier continuait, sur le flanc de la montagne.

La végétation poussait dru, il faisait un peu sombre. Quelques dizaines de mètres plus loin se découpait une clairière, seul endroit éclairé par les rayons ardents du soleil. Cette ouverture brillait, aveuglante, pareille à l'entrée vers un autre monde.

Soudain, on l'apostropha : « Hé, attends ! »

Il se retourna : Mutsu, qui l'avait rattrapé par on ne sait quel miracle, approchait au pas de course, l'air féroce, son bras en écharpe ballottant contre son corps.

Ryôsuke obtempéra.

« Dis donc, toi ! » cria Mutsu.

Quelque chose lui soufflait que s'il devait fuir, c'était maintenant, mais il n'avait rien fait qui justifiât la colère de Mutsu. Cette pensée arrêta ses jambes prêtes à détaler.

Mutsu se précipita vers lui. Dans son dos, Ryôsuke regarda si la fillette l'accompagnait. Son père devait lui avoir ordonné de rentrer seule, car elle n'était nulle part.

« Qu'est-ce que tu fais là ? » demanda Mutsu en le saisissant par le devant de sa chemise et en le secouant d'une seule main, mais avec une force terrible. Un bouton de sa chemise sauta.

Ryôsuke recula d'un pas. Mutsu fit une large enjambée en avant, approchant de lui son visage tout écorché.

« C'est vous qui avez traficoté ma vache ! »

Ryôsuke savait qu'il devait répondre, mais les mots ne sortaient pas. Pour couronner le tout, il tomba à la renverse. À terre, il reçut un coup.

« Je n'ai rien fait ! hurla-t-il, agrippé à la jambe de Mutsu qui s'apprêtait à lui assener un nouveau coup.

– Ça ne peut être personne d'autre ! »

Cette fois, un violent choc dans le flanc le fit rouler sur l'herbe.

Dans un cri inarticulé, Ryôsuke visa Mutsu au bassin. Celui-ci tomba en tentant de l'esquiver, mais il se releva aussitôt. De son bras valide, il décocha des coups de poing à Ryôsuke qui, déséquilibré, prit un uppercut dans le menton. Il s'affaissa, le visage entre les mains.

« Quand on me cherche, on me trouve !

– Arrête ! » hurla Ryôsuke en ramassant une pierre par terre.

Sa gorge semblait avoir rétréci, il ne respirait plus que par petits à-coups. Mutsu se préparait à le frapper de nouveau quand il aperçut la pierre dans sa main. Il se figea.

Ryôsuke lui tourna alors brusquement le dos et détala. Malgré les cris de colère qui le poursuivaient, ses jambes refusaient de s'arrêter. Sur le sentier plongé dans la pénombre, il fonça en direction de la flaque de lumière éblouissante devant lui.

« Attends, je te dis ! »

Mutsu approchait. Ryôsuke courut de toutes ses forces.

Le sentier menait vers le sommet, le long du versant à sa droite, de plus en plus raide. S'il continuait, il arriverait à semer Mutsu. Mais l'autre le poursuivrait sûrement. Jusqu'en haut, où toute retraite lui serait coupée.

Dès qu'il pénétra dans la lumière aveuglante, il bondit vers la forêt touffue en contrebas, à sa gauche. Des branches d'arbre lui fouettèrent le cou et les joues. Des herbes s'entortillèrent autour de ses pieds. Dans la pénombre, il prit soudain un coup dans la poitrine.

Quelque chose cassa avec un bruit sec. Il sentit des branches voler. La pente était herbeuse, le sol invisible. Lorsqu'il songea que c'était mauvais signe, il était déjà tombé en avant. Il chutait, impuissant. Quelque chose de dur heurta son coude, dans une douleur fulgurante. Son corps dévalait la pente, dégringolant par-dessus les herbes et les fourrés. Devant ses yeux, l'obscurité se fit. Il tenta de se débattre. Ni ses bras ni ses jambes ne répondaient. Il tombait. Les arbres et les taches de soleil tourbillonnaient dans sa tête comme dans un kaléidoscope.

Il atterrit lourdement.

Sa course était terminée.

Il voyait une profusion de feuilles et de racines et, derrière, des fragments de ciel bleu.

Avec un temps de retard, une pluie de choses s'abattit sur lui. Des feuilles, des branches, des vrilles biscornues à l'aspect monstrueux.

Suffoquant, il remua les jambes et les bras. Une douleur traversa son bras droit, mais ses quatre membres fonctionnaient. Il bougea la tête. Se redressa. Examina le dos de ses mains. Elles étaient égratignées et tachées du sang qui gouttait de son nez.

Il leva le visage vers la pente qu'il avait dégringolée. Seuls les arbres et la pénombre, insondables, étaient visibles.

Et si Mutsu débarquait ? Il balaya les alentours du regard. Il aurait aimé avoir un bâton à portée de main, mais à quoi bon, puisqu'il ne s'était pas servi de la pierre ? Il serra les dents.

Dans le sous-bois derrière lui, un fourré frémit.

Réalisant qu'il était assis, Ryôsuke replia vite les jambes et se redressa, à demi accroupi.

Le bruissement continuait. Soudain, le buisson enfla.

Exactement comme s'il en avait éclos, un animal montra la tête.

C'était une chèvre blanche comme neige. Avec sa mamelle gonflée sous son ventre, elle ressemblait à la Hanayo de Hashi. Elle le fixa de ses yeux en amande avant de replonger dans le fourré.

À droite aussi, un frémissement. Et à gauche.

Les pinzas émergeaient des buissons. S'y cachaient à nouveau. Clairement, il les intéressait. Il y avait aussi quelques petits : un chevreau apparut entre les feuilles, fit quelques pas en gambadant.

Une chèvre bondit.

Il poussa un soupir de soulagement. C'était celle qu'il voulait revoir. Il retrouvait ses taches noires et blanches avec joie.

La biquette tachetée se dirigea droit vers lui. Puis elle frotta doucement son museau contre sa hanche. Exactement comme elle l'avait fait sur la falaise. À son invite, il se remit debout et fit quelques pas. Puis, pour la première fois, il tourna les yeux dans la direction opposée au versant.

Dans la pénombre, plusieurs puits de lumière se dessinaient.

Il leva la tête, les suivant du regard.

Il en eut le souffle coupé.

Il y avait des arbres géants, pareils à des rochers. Comme une excroissance du sol, ils étaient recouverts de mousse, et des plantes parasites proliféraient sur leurs troncs tellement énormes qu'il aurait fallu s'y mettre à plusieurs pour les entourer de ses bras. Leur galbe singulier dominait l'espace. Ils n'étaient que bosses, courbures et mousse, parés d'un feuillage massif qui bouchait le ciel et d'une myriade de racines aériennes semblables à des nuages.

Les arbres géants s'alignaient à perte de vue. Dressés en silence les uns à côté des autres, ils dégageaient une aura extraordinaire.

C'était une forêt primaire de banians, la première que Ryôsuke voyait de sa vie. Une existence ininterrompue depuis un millier d'années, en symbiose avec les éléments. C'était l'éternité incarnée.

Ryôsuke était médusé. Il en oublia même, un instant, la chèvre qui le poussait au derrière.

Des éclairs traversaient les puits de lumière ici et là. C'étaient les oiseaux qui nichaient dans les arbres. L'air humide vibrait légèrement, empli d'un doux parfum sylvestre.

Lentement, comme s'il savourait chaque pas, Ryôsuke pénétra dans la forêt. Il effleura le tronc de l'arbre géant devant lui, le vert profond de la mousse gorgée d'humidité. Par endroits, l'écorce du banian pointait, pareille à de la peau d'éléphant fossilisée. Il laissa courir ses doigts dessus pour lui transmettre l'émotion qui l'étreignait au plus profond de lui, le mélange de respect et de gratitude qui jaillissait de son cœur.

Il tendit la main vers une épaisse racine aérienne qui tombait de l'arbre. Il s'y agrippa, avec une idée en tête et se laissa peu à peu peser de tout son poids. Dans un froissement, des rameaux et des feuilles tombèrent en cascade au-dessus de sa tête. Mais la racine aérienne ploya, sans se rompre. Les pieds de Ryôsuke quittèrent le sol et il se balança, tiré vers le haut.

Il avait l'impression d'être le jouet de l'arbre. Pas seulement de ce banian, mais de la forêt primaire tout entière, qui l'accueillait en son sein.

Mais où était-il ?... Où ? Cette question le taraudait.

Il regarda autour de lui.

Au pied de l'arbre paissait un troupeau de chèvres. C'étaient celles qui ne s'étaient pas montrées la fois précédente, sur le sentier de montagne. Les femelles aux lourdes mamelles et leurs petits qui les tétaient.

Elles broutaient çà et là, observant de temps à autre Ryôsuke et la chèvre tachetée restée à ses côtés.

Il fit quelques pas dans la forêt et s'assit sur une pierre qui affleurait entre les herbes. La biquette continuait à frotter son museau contre sa hanche. Il fit courir sa main sur son front et ses cornes. Elle se raidit un peu, mais avec un bêlement qui retentit loin parmi les arbres se serra contre lui. Les autres aussi restaient près de lui, sans s'éloigner. Pour finir, la chèvre toute noire se montra.

Assis sur la pierre, il contempla un moment le troupeau. La forêt respirait la vie. Soudain, il se mit à parler :

« Mon père s'est pendu dans un endroit comme celui-là. »

Sa main qui caressait la chèvre tachetée se crispa. La bête émit un bêlement aigu.

« Pas très loin de chez nous. »

Il observa l'animal, a priori incapable de comprendre ce qu'il disait. Sa figure, aux caractéristiques différentes de celles d'un être humain, ne présentait pourtant, à ses yeux, guère de différences avec son propre visage.

Toujours assis, il leva les yeux vers les arbres. Au milieu des faisceaux de lumière qui filtraient à travers la canopée, il crut voir son père au bout d'une corde. Il baissa la tête. Regarda une nouvelle fois la chèvre tachetée.

« Je ne savais pas où c'était. J'ai quelques souvenirs, très vagues, des funérailles. Ma mère et moi, on est partis loin, on déménageait sans arrêt. Mais un jour, elle m'a dit où mon père s'était pendu. Alors, quand j'étais lycéen, j'y suis allé seul, pour voir. C'était un lieu désolant. Plein de détritus, avec de pauvres chênes du Japon tout roussis, une forêt médiocre, quoi. Penser que mon père était mort dans un endroit pareil m'a mis dans une colère folle. »

Il prit entre ses mains les joues de la chèvre tachetée. Elle remua, mais sans tenter de se dégager. Son museau tourné vers le visage de Ryôsuke, elle lui lécha la bouche.

Il l'étreignit, pressant sa tête contre la sienne. Elle sentait fort, ou plutôt elle avait l'odeur d'un être vivant. Les parfums de la forêt venaient s'y mêler. Elle se mit à bêler, et comme si elles attendaient ce signal les autres bêlèrent elles aussi.

Troublé, Ryôsuke desserra son étreinte. Il l'examina avec attention. Tout en se disant que c'était impossible, il scruta ses yeux aux pupilles dorées barrées d'un iris horizontal.

« Qui étais-tu avant de te réincarner en chèvre ? »

Quelle idée stupide, songea-t-il.

Il se décida à se mettre en route. Une nouvelle fois, il leva le visage vers la forêt.

« Tu me montres le chemin, Buchi ? »

Il s'était adressé à la chèvre tachetée, la baptisant du nom qui correspondait à son pelage, mais, curieusement, ce fut la noire qui s'approcha. Comme Buchi l'avait fait, elle se mit à le pousser du museau. Elle n'était pas sur ses gardes comme la fois où ils s'étaient trouvés nez à nez. Buchi et elle, épaule contre épaule, s'évertuaient à le pousser.

Il longea les arbres géants en compagnie du troupeau de chèvres et, glissant parfois sur la mousse, progressa à travers la pénombre, les broussailles et la jungle des racines aériennes.

Il finit par atteindre la lisière de la forêt primaire. Les banians laissaient place à un bois de feuillus. Au dôme fourni des frondaisons succéda soudain une pluie de lumière. Sous le soleil se dressait un petit promontoire, une élévation de quelques mètres à peine. Mais, lorsqu'il le gravit, Ryôsuke put apercevoir le scintillement bleu de la mer de l'autre côté du bois.

16

Il s'y attendait, mais le trajet fut long.

Sous l'escorte des chèvres, il était redescendu jusqu'à ce qui semblait être la partie nord-ouest de l'île. Il était ensuite rentré à pied, longeant pas à pas un rivage qui lui était inconnu. Il souhaitait éviter de traverser la forêt, où Mutsu l'attendait peut-être. Lorsqu'il aperçut le port abandonné proche de chez Hashi, le soleil était déjà très bas. Face à la mer qui luisait de feux dorés, il progressait péniblement, les jambes lourdes de fatigue.

Il dépassa les champs de canne à sucre et remonta le chemin de gravillons qui menait chez Hashi. Quand il entendit des voix connues, il se mit à courir. La lumière était déjà allumée chez Hashi. Sous l'éclairage diffus, il distingua les silhouettes de deux personnes et d'un chevreau.

Il se précipita vers eux. Tachikawa l'avait entendu arriver et Kaoru avait relevé la tête. Tous deux étaient en train de disposer des assiettes et des verres sur la table de jardin.

« Mais qu'est-ce que t'as fabriqué ? D'où tu sors ?

– Kikuchi, ton visage, que s'est-il passé ? »

Ryôsuke avait lui aussi une question :
« Qu'est-ce que vous faites là ?
– On t'attendait à l'auberge, mais on s'est inquiétés parce que tu ne revenais pas, répondit Tachikawa. Je suis content de te revoir ! Mais c'est quoi, cette tête ? »
Kaoru lui prépara une serviette humide. Pûno s'approcha. Lorsqu'il tenta de le caresser, le chevreau s'échappa d'un bond. Devant l'étable, Tsuyoshi et Hanayo bêlaient, la chaîne qui les retenait tendue à bloc.
« Sérieusement, qu'est-ce qu'il t'est arrivé ? » demanda Kaoru.
Devant la serviette tachée de sang, Tachikawa et elle firent la grimace.
« Rien. Je suis tombé, c'est tout.
– Eh, on était super inquiets. On t'attendait parce qu'on a une grande nouvelle, mais tu revenais pas.
– Une grande nouvelle ? »
Tachikawa montra du doigt le vestibule de la maison de Hashi. Leurs affaires, ainsi que celles de Ryôsuke, y avaient été empilées à la va-vite.
« Hashi veut bien nous héberger à partir de ce soir.
– On paiera juste notre nourriture, précisa Kaoru.
– La décision a été prise après concertation entre le Président et Hashi. Tout à l'heure, il a rapporté nos affaires avec sa camionnette ; là, il est parti chercher des vieux futons à la salle communale.
– C'est vrai ?
– Entre étrangers, serrons-nous les coudes, qu'il a dit.
– C'est gentil de sa part, mais est-ce qu'on peut accepter ? s'inquiéta Ryôsuke.

– Bien sûr que oui ! Puisque c'est approuvé par les Galápagos.

– C'est super, hein, Kikuchi ? » fit Kaoru avec un sourire de petite fille.

Sous les feux du soleil couchant, ils dînèrent tous les quatre dans le jardin. Tsuyoshi et Hanayo mastiquaient le foin empilé devant eux par Hashi. Pûno était accroché à la large mamelle de Hanayo.

Sur la table, il y avait du sashimi de bossu blanc à points noirs et des tempuras de calmars pêchés par Hashi le matin même. À leurs pieds était posée une lanterne halogène en prévision de la tombée de la nuit. Un papillon blanc venu de nulle part se posa sur la poignée de la lanterne avant de repartir en voletant vers les champs de canne à sucre.

« Merci de nous héberger. »

Tous trois s'inclinèrent une nouvelle fois devant Hashi.

« Je vous en prie. C'est un peu triste de vivre seul. Et puis, le Président semble avoir mûrement réfléchi sa décision. »

Tachikawa et Kaoru étaient ravis, ils en auraient presque donné l'accolade à Hashi. Malgré le plaisir qu'il semblait prendre à leur enthousiasme, quand ils se furent calmés, il poursuivit :

« Vivre ici n'a rien d'une sinécure. Donc, si c'est trop dur, n'hésitez pas à abandonner. Si vous voulez repartir, dites-le. Personne n'est prisonnier de cette île. C'est bien d'accord ? Comme ça, nous garderons toujours la possibilité de nous revoir. Votre vie est bien plus importante que ce petit bout de terre. »

Kaoru acquiesça et son piercing au nez lança un éclat brillant. Tachikawa, sans doute déjà ivre et les yeux humides, lança : « Vous parlez juste, Hashi.

– Néanmoins, je crois qu'il vaut mieux avoir un objectif. Puisque je vis de la pêche, dans la mesure où vous habitez chez moi, j'aimerais que vous m'aidiez. Mais je suis certain que cela ne suffira pas à vous occuper. Vous avez décidé de rester, d'accord, mais pour quoi faire ? »

Son verre à la main, il les dévisagea l'un après l'autre. Étonnamment, la première à répondre fut Kaoru :

« Moi, le bateau, ça me rend malade, donc je ne pourrai pas vous aider à pêcher. Mais je m'occuperai de l'entretien du matériel et des livraisons, par exemple. Et puis, je vais sans doute me lancer là-dedans. »

Elle cadra Hashi avec son téléphone portable et déclencha le flash.

« La photo, ça me botte. Je l'ai découverte en venant ici. Alors, je vais mitrailler l'île.

– Eh ben, t'es plutôt optimiste.

– Mais tais-toi donc, Tachikawa ! » rétorqua-t-elle.

Hashi, qui les regardait se chamailler en souriant, approuva d'un généreux hochement de tête. « C'est une bonne idée. La photo, c'est le métier d'une vie. »

Tachikawa prit ensuite la parole :

« Moi, je pourrais pas être préposé à l'ouverture d'une bouteille à chaque fois que vous rapportez une bonne prise ? »

Sur ces mots, il poussa un grognement et reprit à voix basse :

« Hashi, comment dire, j'ai de l'énergie, mais je ne sais pas à quoi l'utiliser. Pourtant j'aimerais pouvoir me dire à la fin de la journée : ah ! j'ai bien bossé. Voilà ce que je voudrais. Si j'ai suivi Ryôsuke sans savoir ce qu'il a en tête, c'est parce que j'ai eu envie de voir comment ça allait tourner. Du coup, mon véritable objectif, c'est peut-être bien de prendre des décisions concrètes moi aussi avant de repartir d'ici. De savoir où j'en suis, quoi. Désolé. C'est pas très clair.

– Au contraire, ça l'est. »

Hashi avait opiné aux paroles de Tachikawa.

« On dirait un philosophe fumeux », s'esclaffa Kaoru, mais elle l'applaudit tout de même.

Le tour de Ryôsuke arriva. Après un silence, il lança « Pûno ! », invitant à s'approcher le petit qui gambadait. Le chevreau se tortilla de droite et de gauche et finit par venir près de lui. Hanayo, inquiète, arriva en bêlant. Hashi l'enlaça.

« Déjà qu'il a un nom, si en plus tu t'en sers pour l'appeler, ça va être vraiment dur de se séparer de lui », remarqua-t-il alors qu'il retenait Hanayo.

Tachikawa se décomposa.

« Comment ça, se séparer de lui ? Vous allez l'envoyer dans une ferme ? »

Ryôsuke fit signe que non et d'une voix posée Hashi expliqua la situation à Tachikawa :

« Sur cette île, on mange les chèvres. C'est la tradition. Le fait-tout qui a été renversé l'autre jour pendant le banquet ; à l'intérieur, il y avait le frère de celui-là.

– Quoi ? Vous plaisantez ? »

L'expression de Tachikawa s'était durcie.

« Les mâles n'ont aucune utilité, ils ne sont bons que pour la boucherie. Celui-là n'échappera pas à la règle. Il est prévu que le Président me l'achète.

– Non ? C'est pas vrai ?

– On dirait bien que si », répondit Kaoru.

Un silence se fit.

Ryôsuke reposa délicatement Pûno sur l'herbe. À peine avait-il touché terre que d'un bond, le chevreau s'éloigna de la table. Hanayo le rattrapa en trottant, comme si elle le poursuivait, puis la mère et son petit folâtrèrent dans le jardin.

La nuit était tombée. Dans la pénombre, seul le corps blanc des chèvres ressortait.

« Regardez-les jouer », dit Hashi.

Il posa la lanterne sur la table et l'alluma. Le jardin s'illumina d'un coup, arrachant un murmure de surprise à Tachikawa. Ryôsuke prit alors la parole :

« Eh bien, en ce qui concerne mes projets ici… je veux vivre avec elles. »

Un bref silence s'installa, rompu par Hashi : « Avec les pinzas ? » Kaoru, bouche bée, lança « Quoi ? » et Tachikawa tendit un doigt vers l'étable au fond du jardin : « Tu veux t'installer là-dedans ? »

Tous trois paraissaient inquiets.

« Non ! »

Ryôsuke fit un geste de dénégation.

« Je veux en élever une trentaine ou une quarantaine. Je veux avoir une ferme.

– Un élevage de chèvres ? » fit Kaoru.

Hashi paraissait soucieux.

« Alors ça… C'est un crève-cœur d'élever des chèvres

pour devoir s'en séparer, comme pour Pûno. On a beau savoir que c'est pour se nourrir, c'est difficile à accepter. J'en ai fait l'expérience, je sais de quoi je parle et je n'y suis vraiment pas favorable.

– C'est vrai, ça. Élever des animaux pour les tuer, ça craint..., fit Tachikawa.

– Mais ce n'est pas un peu hypocrite comme raisonnement ? L'égoïsme, ce n'est pas justement de s'en laver les mains ? »

Sans doute Kaoru cherchait-elle à protéger le rêve de Ryôsuke, mais elle était loin du compte.

« Je ne cherche pas à fuir cette réalité, expliqua-t-il. Je veux élever des chèvres laitières.

– Ne me dis pas que... » La question de Hashi se lisait sur son visage.

Ryôsuke lui sourit de toutes ses dents.

« Je veux monter un élevage pour fabriquer du fromage de chèvre qu'on ne trouvera qu'ici.

– Du fromage ? répéta Kaoru.

– Quoi, du fromage ? s'exclama Tachikawa.

– C'est bien ce que je pensais ! » gémit Hashi.

Chacun avait réagi à sa façon. Encore une fois, seul Hashi riait jaune.

« Non... je ne peux pas dire que je suis d'accord.

– Pourquoi ? » demanda Ryôsuke.

Hashi, l'air grave, le scruta.

« Parce que c'est vraiment dur. Fabriquer du fromage, c'est facile à dire, mais le faire, c'est une autre paire de manches. Tout ce que tu as en tête, je l'ai déjà tenté. J'y ai gaspillé ma vie, et mon meilleur ami y a laissé la sienne. Cela a été une expérience terrible. Je ne veux pas que vous en passiez par là. Pour commencer, les chèvres donnent moins de lait que les vaches, à peine un vingtième. La quantité de fromage qu'on peut en tirer est donc limitée. Et puis, de nos jours, vouloir traire à la main… tu n'es pas un fermier français ! »

Ryôsuke, qui l'avait écouté en silence, rétorqua :

« Mais justement. Le récit de vos échecs me sera utile. Avoir un passionné de fromage à mes côtés, c'est beaucoup mieux que de commencer de zéro sans rien y connaître, non ?

– Mais non ! Ça ne se vendra pas. Personne n'achète de chèvre dans ce pays. Quand on parle de fromage, tout le monde l'imagine au lait de vache, avec un goût pas très prononcé qui plaît à tous. Avec du lait de chèvre aussi, en adaptant la nourriture des bêtes et la méthode d'affinage, on peut obtenir un fromage peu typé. Mais dès qu'ils apprennent que c'est du chèvre, les gens refusent d'y toucher. C'est ça la réalité, ici. »

C'était la première fois que Hashi se montrait si catégorique.

« Mais, Hashi… quand était-ce, l'époque où vous faisiez du fromage de chèvre ? s'enquit Kaoru.

– Comme je vous l'ai déjà dit, c'était à mon arrivée sur cette île, il y a vingt ans. Et avant cela, en métropole. »

Elle le regarda droit dans les yeux.

« Si c'était il y a plus de vingt ans… Après tant d'années, le Japon aussi a changé, vous ne croyez pas ? On trouve maintenant des fromagers partout, et puis, je ne m'y connais pas trop, mais il me semble que les fromages d'importation se vendent comme des petits pains. En se débrouillant bien, ça pourrait servir à redynamiser l'île, non ? »

Tachikawa émit un sifflement.

« Exactement. Redynamiser l'île.

– Mais des chèvres de race laitière, on n'a que ces deux-là. Un mâle et une femelle, deux bêtes en tout et pour tout. »

Hashi restait sur la défensive.

« Aujourd'hui, j'en ai vu dans la montagne, dit Ryôsuke.

– Le troupeau sauvage ?

– C'est la progéniture des chèvres que vous éleviez autrefois, n'est-ce pas ? J'en ai compté une dizaine qui descendaient clairement d'une race laitière. Elles avaient les mamelles gonflées comme Hanayo. Est-ce qu'on ne pourrait pas se débrouiller pour les capturer ?

– Dis donc, Ryôsuke, qu'est-ce que tu causes aujourd'hui ! T'es tombé sur la tête dans la montagne ou quoi ? » se moqua Tachikawa.

Hashi croisa les bras d'un air grave.

« Comme elles se sont reproduites avec des mâles sauvages, cela ne va pas être aussi simple qu'avec Hanayo. Et ça m'étonnerait que des bêtes revenues à l'état sauvage se laissent traire.

– C'est que ça commence à devenir intéressant ! J'ai bien fait de rester. »

Tachikawa avait l'air réjoui, comme si la ferme se dressait déjà devant lui. Hashi, lui, continuait à faire la grimace.

« Non, la plus grande difficulté…

– Oui ? »

Ryôsuke scrutait son visage.

« C'est la tradition locale de consommer la viande des chèvres. Ici, pour être un homme, il faut savoir chasser, dépecer et cuisiner la chèvre. Les élever pour leur lait, c'est en faire un usage pacifique, sans les tuer ; en d'autres termes, c'est s'opposer frontalement aux habitants les plus conservateurs de l'île... Ça risque même de devenir un sujet de discorde.

– Je n'ai pas l'intention de me battre », riposta Ryôsuke.

Hashi poussa un soupir. Puis il le dévisagea.

« Cette île, c'est comme un pays. Toucher aux traditions culinaires, c'est très délicat.

– Peut-être. Mais je veux essayer, pour votre ami qui a renoncé à son rêve en cours de route. »

Kaoru et Tachikawa le regardaient, l'air de se demander ce qu'il racontait. Seul Hashi baissa les yeux en murmurant « Je vois ».

La conversation était close. Tachikawa s'écria ingénument :

« C'est excitant tout ça ! »

Il avala une rasade de *shôchû*, les yeux perdus dans le ciel teinté de violet et de bleu foncé où brillaient déjà quelques étoiles.

17

Chez Hashi, il n'y avait que deux chambres. Il fut décidé que Kaoru en occuperait une tandis que les hommes, Hashi compris, dormiraient dans l'autre pièce et dans la cuisine.

Le matin, ils prenaient le petit déjeuner ensemble, puis ils vaquaient chacun à leurs occupations. Leur quotidien s'organisait avec Ryôsuke comme matelot, Kaoru à la photographie et Tachikawa en charge d'opérations diverses. L'après-midi, sous la direction de Hashi, ils apprenaient tous les trois à fabriquer du fromage de chèvre.

« Il faut être délicat. Y aller doucement. »

La main sur les pis de Hanayo, Hashi la trayait avec soin.

« En général, on ne fait pas ça avec du monde autour. On trait seul, au calme. Ça va parce que Hanayo est habituée, mais si on trait de force une bête qui rechigne et qu'elle attrape une mammite, c'est la catastrophe. »

Ryôsuke saisit pour la première fois la mamelle de Hanayo ; elle était d'une souplesse indicible, très élastique. Des poils ras, presque imperceptibles au toucher, la recouvraient totalement. Comme Hashi avait rappelé avec insistance que chez tous les mammifères elle est délicate, il n'osait pas serrer trop fort. Mais ainsi, il n'arrivait pas à en extraire le lait. Quand il en eut enfin accumulé quelques centimètres dans le seau, son visage dégoulinait de sueur.

« C'est presque comme des seins de femme, hein ? »

Tachikawa, qui avait remplacé Ryôsuke, caressait la mamelle de Hanayo avec un sourire lubrique.

« J'ai entendu dire que si autrefois on embarquait des chèvres à bord des bateaux, c'était aussi pour ça », lança Kaoru.

Comme pour confirmer, Hashi précisa :

« Oui. Dès l'époque des grandes découvertes, on a toujours embarqué des chèvres, semble-t-il.

– C'est quoi, cette histoire ? » fit Tachikawa.

Soit il n'avait pas compris, soit, au contraire, il voyait trop bien ce dont ils parlaient, car, le rouge aux joues, il échangea sa place avec Kaoru qui avait terminé de prendre des photos.

« Elles fournissaient d'abord du lait, expliqua Hashi, source de produits comme le yaourt et le fromage. Et de la viande, aussi. Quand elles ne donnaient plus de lait, les femelles étaient consommées. Mais avant d'en arriver là, il paraît qu'elles servaient aussi à apaiser les pulsions sexuelles.

– Vous voulez dire… s'astiquer le manche en caressant la mamelle de Hanayo… ? demanda Tachikawa.

– Non, c'était sans doute plus direct que ça. »

Tachikawa poussa un cri et fit mine de chanceler, avant de se poster derrière Hanayo. Le nez collé à son arrière-train, il l'examina sous toutes les coutures.

« Alors, ici c'est ça, et là… C'est là qu'il faut viser ? Nan, c'est pas pour moi, ça. Désolé, Hanayo !

– Quand on vit dans des conditions normales, c'est sûr que ça ne fait pas envie », dit Hashi.

Kaoru trayait la chèvre d'une main assurée, faisant jaillir le lait en arcs. Hashi déplaça légèrement le seau et flatta le ventre de Hanayo.

« Depuis les temps anciens, l'homme vit en compagnie de bovidés comme les chèvres. Et pas seulement de bovidés. Le lien a sûrement toujours été étroit avec tous les animaux. Connaissez-vous la légende de la fondation de Rome ?

– Rome ? Non », répondit Ryôsuke.

Tachikawa intervint alors :

« Tiens, au fait, pizza et pinza, ça se ressemble.

– Ce n'est qu'une légende, mais… il y a très très longtemps, une vestale qui avait fait vœu de chasteté eut des jumeaux avec le dieu de la Guerre. Les enfants, fruits de cette union interdite, furent abandonnés sur une rivière, mais une louve les recueillit et les allaita. Plus tard, un berger les adopta et les jumeaux grandirent nourris au lait et au fromage de brebis. Il leur arriva ensuite bien des aventures, mais, pour finir, ils s'entre-tuèrent et le survivant fonda Rome.

– Au commencement était le Verbe, ou plutôt, le Lait ? » dit Ryôsuke.

Kaoru, de derrière le flanc de Hanayo, murmura : « Ou le Fromage, peut-être. »

Le lait de Hanayo remplissait la moitié d'une marmite. Hashi y ajouta du yaourt fait maison. Une fois qu'on l'avait incorporé, il suffisait d'attendre que la fermentation lactique débute.

« Sinon, les autres bactéries font vite tourner le lait, expliqua Hashi.

– C'est pour empêcher d'autres bactéries de s'installer ? » demanda Ryôsuke.

Hashi hocha la tête.

« Oui. Le yaourt, certains s'imaginent que c'est du lait qui a commencé à tourner, mais c'est exactement l'inverse. On transforme le lait en yaourt pour lui éviter de tourner. C'est donc la première opération à effectuer après la traite.

– Le lait de vache, on le stérilise en le chauffant, n'est-ce pas ? »

Kaoru semblait avoir quelques connaissances en la matière.

« On ne procède pas de la même manière pour le lait de vache et pour le lait de chèvre. Quand je suis arrivé sur l'île, j'ai essayé de fabriquer de la mozzarella et de la ricotta avec du lait de vache. Mais à vrai dire, le chèvre est beaucoup plus facile à préparer. »

Hashi sortit du réfrigérateur une espèce d'aliment séché. La forme rappelait celle d'un aileron de requin, mais cela avait aussi quelque chose du poisson séché, comme de la morue. Avec des ciseaux, il en coupa un petit morceau qu'il laissa délicatement tomber dans de l'eau bouillante. Kaoru gardait son portable à la main, prête à photographier.

« Je vais préparer un liquide qui contiendra les enzymes chargées de solidifier le yaourt, expliqua Hashi.

– C'est quoi, ce truc ? demanda Tachikawa.

– De la présure. Un ingrédient indispensable à la fabrication du fromage… Comment dire… c'est de la caillette, une partie de l'estomac du chevreau. »

Tachikawa grimaça en découvrant les dents et échangea un regard avec Kaoru qui avait éloigné son visage du téléphone. Ryôsuke avait étudié tout cela lorsqu'il était cuistot, mais ça restait de la théorie pour lui. Sachant de quoi était faite la présure, il interrogea Hashi :

« Généralement, pour faire coaguler le lait de vache, on utilise de la caillette de veau. Mais pour le chèvre, c'est de la présure de chevreau ? Celle de veau ne convient pas ? »

Hashi secoua la tête.

« On peut aussi utiliser de la présure de veau. J'ai encore de la caillette de veau qui m'a servi à apprendre aux gens d'ici à faire du fromage au lait de vache. Mais pour le fromage de chèvre, le mieux est sans doute d'utiliser l'estomac du chevreau qui aurait dû boire ce lait. Ça paraît assez logique, non ?

– Hashi, vous avez tué un chevreau ? demanda Tachikawa.

– Oui, mais pas pour faire du fromage. Quoi qu'il arrive, ici, les chevreaux mâles sont destinés à la boucherie. Pareil pour les chèvres sauvages prises par les chasseurs. C'est l'estomac d'un de ces animaux. Rien ne se perd, en quelque sorte.

– Donc… même pour faire du fromage, impossible de vivre en bonne entente avec les chèvres », constata Kaoru.

Hashi posa sur la table la présure qu'il venait de préparer.

« Eh oui… l'homme vit du sacrifice d'autres êtres vivants. Si vous voulez faire du fromage, mieux vaut en avoir conscience. »

Une fois la présure refroidie, il entreprit de l'incorporer petit à petit au lait de Hanayo qui se transformait peu à peu en yaourt. Il mélangea soigneusement le tout avec une louche.

« Maintenant, le lait va lentement coaguler.

– Ça prend combien de temps environ ? »

Ryôsuke avait posé la question sur la base de ses connaissances livresques.

« Comme ce n'est pas du lait de vache… Il faut compter vingt-quatre heures. Nous attendrons jusqu'à demain à la même heure pour entamer la deuxième phase des opérations.

– Tant que ça ? Sans blague ? s'étonna Tachikawa, l'air carrément dégoûté.

– C'est beaucoup plus long qu'avec du lait de vache. Et pour obtenir du fromage… »

Hashi regarda les trois jeunes gens à tour de rôle.

« Si on prend le temps de l'affiner, il faut compter six mois. J'insiste, c'est loin d'être facile. Faire du fromage de chèvre une spécialité de l'île… L'idée est séduisante, mais je n'y adhère toujours pas ; à mon avis, c'est impossible. »

Le lait de Hanayo avait épaissi. Hashi le mélangea avec énergie.

18

Tant que la mer était calme, Hashi et Ryôsuke partaient pêcher tous les matins : c'était l'accord qu'ils avaient conclu. Dans la plupart des cas, ils commençaient par pêcher au leurre le long des côtes.

Ce matin-là, une des cannes à pêche avait accroché deux coureurs arc-en-ciel.

« Ils sont invendables, dit Hashi. On n'en tirera rien à la criée. »

Il acheva les poissons et les entreposa dans la glacière destinée à sa consommation personnelle. En continuant à naviguer aux abords de l'île, ils virent une tortue de mer qui nageait paisiblement, mais aucun poisson ne mordit.

Malgré l'imminence de la saison des pluies, en mer, le ciel était limpide. Au loin, au nord-ouest, la silhouette de l'île déserte d'Aigaki se découpait avec netteté.

Après la pêche au leurre, ils passèrent à la pêche dans les fonds rocheux. Le bateau dérivait au nord-est de l'île, à l'exact opposé de Minamigasaki et de son embarcadère. La zone était située dans un angle mort, invisible depuis le ferry, mais le relief était le même que sur la façade est, avec des parois à pic jusqu'au sommet du mont Aburi.

Hashi manœuvrait adroitement le bateau de façon à ne pas quitter les fonds rocheux. C'est alors que se présenta un spectacle qui ajoutait encore à la rudesse du paysage.

Les vagues se brisaient sur les écueils en soulevant des gerbes d'écume. La végétation s'accrochait au flanc des falaises. Et comme une balafre sur la paroi, s'ouvrait la bouche sombre d'une grotte. Vue du large, il était difficile d'en évaluer la taille, mais Ryôsuke estima que la fissure tout en longueur mesurait au moins sept ou huit mètres de hauteur.

Hashi la désigna du doigt.

« C'est la Caverne des vaincus.

– On dirait Amano-iwato », remarqua Ryôsuke.

C'était le nom d'une caverne mythologique, dont il avait entendu parler au lycée. Les mots lui manquaient face à ce paysage extraordinaire.

« Ah, la caverne céleste où la déesse Amaterasu s'est cachée... Rien d'aussi romantique ici.

– C'était un repaire de pirates ?

– À l'origine, oui... Il paraît que l'île a d'abord été habitée par des fuyards du clan Taira échoués ici à l'issue de la guerre de Genpei, à la fin du XIIe siècle.

– C'est pour cela qu'il y a tant de Hirabayashi ou de Hirano, des patronymes dérivés du clan Taira ?

– Sans doute. On raconte aussi que les femmes et les enfants se sont cachés là quand leurs poursuivants sont arrivés. On ne peut pas dire que les gens d'ici étaient du côté du pouvoir.

– Il doit faire si sombre là-dedans… »

Ryôsuke ne connaissait pas l'histoire locale, mais il avait l'impression que les ténèbres de la caverne en disaient long sur les souffrances endurées par les habitants.

« Mais aujourd'hui, ajouta Hashi, en vertu des coutumes de l'île, cette caverne est hors limites. C'est un lieu tabou.

– Tabou ? »

Hashi modifia l'axe du bateau. La falaise se déplaça peu à peu, la bouche toute noire de la grotte approchant de la proue. Dans le chatoiement du bleu de la mer et du vert de la falaise, ces ténèbres tranchaient bizarrement. Ryôsuke, incapable d'en détacher le regard, sentit son cœur s'emballer, sans savoir pourquoi.

« C'est un cimetière.

– Un cimetière ?

– Dans lequel on entrait vivant. Il serait bon que tu le voies, pour ta gouverne. Voilà longtemps que je n'y suis pas allé non plus. »

Hashi lui confia le moulinet et remonta la ligne sur le pont, puis il enclencha une vitesse. Le bateau vogua en ligne droite.

« Vous êtes sûr ? On ne va pas s'échouer ? »

Des écueils affleuraient çà et là entre la crête des vagues. Le bateau louvoyait entre eux comme si de rien n'était.

« Tu vois ? »

Hashi s'arrêta, au point mort entre deux écueils.

La Caverne des vaincus ouvrait grand sa gueule. De plus près, son pouvoir d'attraction semblait encore plus puissant. Le sol était recouvert de piles de débris au-delà desquelles, dans l'épaisse obscurité, on ne distinguait rien.

« Tu aperçois le débarcadère en pierre ? »

Sur la grève s'élevait un monticule, des pierres empilées pour former une sorte de plate-forme.

« C'est une construction humaine ?

– Oui. Une fois par décennie, on amène ici un prêtre et un médium pour une cérémonie. La dernière fois, on m'a autorisé à participer aux préparatifs. À partir d'ici, on ne passe pas autrement qu'en barque… Regarde bien. Tu vois tous les *jizô* devant la grotte ? »

Ryôsuke observa le rivage avec attention.

Les piles de pierres qu'il avait prises pour des débris, c'étaient donc des *jizô* ?

« Ce sont les statuettes érigées pour apaiser les mânes de ceux qui sont morts ici », précisa Hashi.

Un bref instant, il joignit les mains. Ryôsuke l'imita.

Le bateau se mit à tourner lentement. Ballottés de droite et de gauche, ils virèrent de bord entre les écueils. La grotte s'éloigna peu à peu.

« C'était une coutume autrefois répandue au Japon, semble-t-il, reprit Hashi.

– D'installer un cimetière dans une grotte ?

– Non, la pratique de l'*ubasute*.

– L'*ubasute* ?

– Sans doute que, malgré la mer, les ressources ne suffisaient pas à nourrir toute la population. En général, l'*ubasute* était pratiqué dans les villages de montagne isolés. Mais ici aussi, cela se faisait. À l'aube de sa soixantième année, on était conduit en bateau jusqu'à l'entrée de cette grotte. Avec pour seul bagage une petite coupe de sel et de sésame. Comme tu peux le constater, de chaque côté, il n'y a que la falaise à pic ; aucune fuite n'était possible quand on vous abandonnait là. En d'autres termes, quand on avait la malchance – ou la chance, plutôt ? – de vivre jusqu'à soixante ans, l'unique issue était d'attendre la mort dans cette caverne. C'était la règle.

Ryôsuke tourna la tête pour regarder une fois encore la grotte obscure. Maintenant qu'il savait, pour l'*ubasute*, les ténèbres prenaient une autre dimension. Il lui sembla même apercevoir la silhouette d'un vieillard s'y enfoncer. De nos jours, à soixante ans, on était loin d'être vieux.

« Mais… c'est de l'histoire ancienne, n'est-ce pas ? » demanda-t-il.

Dans le cimetière du temple abandonné, il y avait des pierres tombales assez vieilles. L'*ubasute* devait donc remonter à l'époque d'Edo, ou même bien avant, peut-être.

« Non, d'après ce que m'a raconté le Président, il paraît que ça se faisait encore à l'ère Meiji, à la fin du XIXe siècle. »

Le bateau devait avoir quitté les fonds rocheux, car la houle le berçait maintenant. La Caverne des vaincus s'éloignait de plus en plus.

« À l'intérieur, il y a une rivière souterraine et on sent de l'air circuler. L'obscurité d'un noir d'encre semble animée. Il y a plusieurs autres grottes sur le flanc du mont Aburi et dans la Falaise des hommes de l'est, tu sais. Il paraît qu'elles sont toutes reliées.

– Sur le flanc du mont Aburi ?

– Dans la forêt primaire de banians. Tu ne l'as pas trouvée ?

– Non », répondit Ryôsuke.

Hashi murmura, comme pour lui-même : « C'est qu'elle est vaste, cette forêt. »

« Bon, et si on essayait de pêcher dans ce coin ? »

Il réorienta le bateau vers le large. La caverne et la falaise disparurent du champ de vision de Ryôsuke, qui se retrouva face à l'immensité bleue de la mer. Tout en pilotant l'embarcation, Hashi sortit les cannes à pêche. Ryôsuke lança à l'eau les lignes destinées aux poissons de roche. La surface limpide laissait voir les plombs et les appâts s'enfoncer dans l'eau.

Au bout d'un moment, il sentit un poisson mordre, mais il échoua à le ferrer et perdit la prise. Pour attirer les poissons, il agitait l'extrémité de sa canne à pêche de haut en bas. C'était monotone.

« Dites-moi, Hashi...

– Oui ?

– Pourquoi êtes-vous venu sur cette île ? »

Puisqu'ils étaient en tête à tête, il lui avait posé franchement la question. Sur le siège du pilote d'où il pêchait, Hashi hocha la tête.

« Eh bien... » Il regarda l'horizon.

« Il y avait des histoires d'argent entre ton père et moi... et puis, comment dire, je pensais qu'il valait mieux que je disparaisse.

– À cause de ma mère ? »

Hashi garda le silence un instant avant de répondre :

« Non. Je m'étais porté garant des dettes de ton père.

On avait vu grand, on voulait monter une ferme fromagère qui n'aurait rien à envier à la France, mais ç'a été un véritable fiasco. On s'est retrouvés acculés tous les deux, sans autre solution que la fuite. Chacun s'est esquivé à sa façon. Et c'est à ce moment-là que j'ai rencontré le Président. Il était jeune à l'époque. Sans doute était-ce mon destin. »

Il jeta alors un bref coup d'œil sur la canne à pêche de Ryôsuke.

« Désolé de changer de sujet, mais pour attirer les poissons, il vaut mieux remuer ta canne à pêche moins souvent. En l'agitant sans cesse, tu les troubles.

– D'accord. »

Ryôsuke immobilisa le bout de sa canne. Hashi regarda de nouveau au loin.

« Heureusement, mes créanciers ne m'ont pas poursuivi jusqu'ici. »

De nouveau, Ryôsuke fit une touche. Peut-être avait-il trop tardé à ferrer le poisson, car sa ligne cessa de bouger. Hashi continua :

« Le Président a tenté de faire sa vie en métropole, lui aussi. Mais comme il était l'héritier de la lignée familiale, il a bien fallu qu'il revienne. C'est à ce moment-là qu'il m'a invité. Il voulait à tout prix faire croître la population de l'île. Dynamiser le village. Il m'a dit : “Je vous offre une maison, ça ne vous dirait pas de venir vous installer ? En contrepartie, tâchez de mettre au point une spécialité locale.” L'île commençait déjà à se dépeupler. Les jeunes partaient les uns après les autres. Le Président se plaignait qu'il y avait plus de chèvres que d'habitants. Alors, je me suis dit que je pourrais faire du fromage.

L'idée me paraissait bonne et j'ai accepté. Mais en fin de compte… Jamais je n'aurais imaginé passer vingt ans ici, et encore moins finir pêcheur. »

Un poisson mordit alors à l'hameçon de Hashi. Peut-être un gros sébaste marbré, car il faisait ployer la canne. « Il est puissant », constata Hashi en rembobinant le moulinet. Ryôsuke posa sa canne à pêche et saisit l'épuisette rangée sur le pont. Bientôt, la silhouette d'un poisson qui nageait lentement apparut au bout de la canne à pêche de Hashi.

« Il est énorme !

– Ça, c'est un bec-de-cane, un poisson très recherché. Il va nous rapporter gros. »

Hashi l'amena tout près de la surface de l'eau. Ryôsuke approcha l'épuisette.

19

Le yaourt mélangé à la présure était maintenant bien ferme dans la marmite.

« On dirait du tofu, dit Kaoru qui photographiait Hashi en train de le prélever à la louche.

– On appelle cela du caillé. On va le mettre dans des moules. »

Hashi versa le caillé dans des faisselles, des pots en plastique constellés de petits trous.

« Pourquoi il y a des trous ? demanda Tachikawa.

– Eh bien… tu vas voir. »

À la demande de Hashi, Ryôsuke prépara une nouvelle marmite. Il posa une grille dessus, sur laquelle il aligna les pots. Des gouttes d'un liquide blanchâtre s'écoulaient des faisselles.

« Mais le fromage va disparaître ! »

Le ton affolé de Tachikawa lui arracha un petit rire.

« Le fromage, c'est un moyen de ne conserver que les nutriments du lait. On le fait coaguler pour le débarrasser de son eau. C'est ce que nous sommes en train de faire.

– Mais c'est du gâchis.

– Eh oui ! C'est bien pour cela qu'on le recueille dans un récipient. Ce liquide, c'est du petit-lait. Du lactosérum. »

Hashi tapota la marmite.

« Lui aussi contient des protéines : on va le chauffer, le faire réduire pour qu'il épaississe. On obtiendra ainsi un autre fromage, léger, comme la ricotta qu'on fabrique à partir du lait de vache. Avec du lait de chèvre, ce sera du brocciu, un fromage corse traditionnel.

– Vous savez vraiment un tas de choses ! s'exclama Tachikawa.

– Dans le temps, j'ai essayé d'en faire mon métier. »

Tout le caillé était désormais réparti dans des faisselles. Il y en avait exactement dix, qui laissaient chacune goutter du petit-lait.

« C'est le lait produit en une journée par une seule bête, Hanayo. La quantité de fromage qu'on peut en tirer est limitée. Avec ça… on obtiendra dix tout petits chèvres. Quant au brocciu, eh bien, vous en aurez peut-être une cuillerée chacun, pas plus.

– C'est peu », commenta Kaoru. Ella croisa les bras, contrariée.

« C'est pourquoi, si on veut en faire son métier, un cheptel d'au moins dix chèvres laitières est nécessaire. Et le coût des équipements n'est pas négligeable non plus… Je comprends que cela vous fasse rêver, mais peut-être vaudrait-il mieux vous en tenir à un hobby, non ? »

Tachikawa regarda Ryôsuke qui hocha la tête, comme s'il comprenait ce que voulait dire Hashi. Il répondit :

« C'est vrai que je n'ai aucune idée des frais engendrés. Mais je sens que c'est prometteur… »

Kaoru se baissa pour observer le petit-lait au fond de la marmite.

« Prometteur… Tu sais, Kikuchi, je crois que tu as raison, même si tu finis par t'orienter dans une autre direction. Dire que ce petit-lait inutile va donner un autre fromage ! Alors qu'au départ, personne n'y avait sans doute pensé. »

Hashi fixait la mixture, mais la réflexion de Kaoru lui fit lever la tête.

« On va laisser tout ça reposer une demi-journée. Le petit-lait va s'écouler, réduisant le volume du caillé d'environ deux tiers. Après, on essaiera de faire du brocciu avec ce qui reste. On pourra y goûter ce soir. »

Tachikawa frappa dans ses mains.

« Ça sera une première pour moi, le brocciu. »

En fin d'après-midi, Mlle Yoshikado s'invita.

Ryôsuke et ses compagnons, qui avaient tout juste fini de traire Hanayo, étaient sur le point de s'atteler à la tâche suivante. À peine entrée dans le jardin, Mlle Yoshikado affecta de se fâcher : « En voilà des mystères ! » Elle regarda Ryôsuke dans les yeux, fit la moue et lui tendit une bouteille de vin rouge.

« De quoi fêter votre installation, bande de cachottiers !

– Merci.

– Je l'ai achetée quand je suis allée rendre visite à mes parents.

– Vous tombez à pic, intervint Tachikawa. On

allait commencer à préparer du fromage avec le lait de Hanayo, et à faire du brocciu, aussi. Le brocciu, vous connaissez ? »

Quelques heures plus tôt, Tachikawa n'en avait encore jamais entendu parler, et maintenant il claironnait brocciu par-ci, brocciu par-là. Kaoru rangea son téléphone, salua l'institutrice d'un signe de tête et se dirigea vers la cuisine où officiait Hashi.

« Tout de même, quelle surprise ce matin, quand les enfants m'ont dit que vous étiez encore là ! s'exclama Mlle Yoshikado. J'étais persuadée que vous étiez repartis. Et en plus, vous logez chez Hashi. Et vous fabriquez du fromage !

– Je pensais vous faire la surprise la prochaine fois que nous pêcherions ensemble, se justifia Hashi, sorti de la cuisine. Je ne voulais pas trop ébruiter la chose…

– Mais ça en a fait, du bruit ! lui lança-t-elle d'un ton sec.

– Désolé.

– Ben dites donc, ça va vite, les nouvelles, remarqua Tachikawa.

– C'est une île, ici », répliqua l'institutrice.

Elle tourna les yeux vers Ryôsuke qui souriait en silence.

« Pourquoi ne m'avez-vous rien dit ?

– Parce que rien n'est encore décidé. »

Hashi intervint : « Moi, je suis contre leur projet.

– Ah bon ? Parce que ce n'est pas vous qui leur avez peu à peu mis cette idée dans le crâne ? Tout le monde en parle : "Voilà qu'il remet ça avec son fromage."

– Bref, il faut préparer le fromage avant de dîner », dit Hashi.

Il passa sa main dans sa chevelure d'un air embarrassé et regagna la cuisine.

« Ça a drôlement rapetissé. On dirait du tofu écrabouillé. »

Tachikawa ouvrait des yeux ronds devant le caillé débarrassé de son petit-lait.

Hashi saupoudra de sel les petits tas.

« Il faut du sel ? »

C'était encore Tachikawa. Hashi jeta un bref coup d'œil à Ryôsuke, l'air de dire, donne l'explication, si tu la connais. Celui-ci se lança :

« C'est comme le poisson séché. Le sel à la surface fait ressortir l'humidité par le jeu de la pression osmotique. Là, on va éliminer encore plus de petit-lait pour obtenir un fromage plus concentré. »

Hashi acquiesça.

« C'est exactement ça.

– Alors, ce n'est pas pour saler le fromage ? demanda l'institutrice.

– Un peu aussi. »

Mlle Yoshikado, qui regardait par-dessus l'épaule de Ryôsuke, sembla satisfaite de cette réponse. Une fois les caillés salés, Hashi remplaça la marmite de petit-lait par une casserole vide sur laquelle il posa une autre grille. Il aligna dessus les dix faisselles.

« On va les laisser égoutter encore une journée en les retournant de temps en temps. Demain, on aura du fromage frais, qu'il faudra affiner. C'est là que commencera la confection du fromage.

– Pardon ?

– Quoi ? »

Kaoru et Tachikawa étaient stupéfaits. Il leur répondit d'un air détaché :

« Nous voilà enfin arrivés au point de départ. Le principal, quand on fait du fromage, c'est l'affinage. En fonction des moisissures qui apparaissent et de leur action, on peut obtenir des saveurs complètement différentes. Les bactéries présentes dans l'air, la température, l'humidité, tout a un impact. »

Il poursuivit, s'adressant aux deux jeunes gens visiblement incrédules :

« Moi aussi j'ai tenté ma chance, plein d'espoir, mais c'est irréalisable dans un lieu ouvert à tous les vents. On ne peut pas faire du fromage ici, il y a trop de facteurs incontrôlables. On ne peut en prévoir ni le goût ni la texture. Dans ces conditions, comment obtenir un véritable produit ? Pour en vivre, il faudrait construire un hâloir… une cave d'affinage, comme on dit en français, un lieu spécial, climatisé et ventilé. Ça coûte cher. »

Ici, c'est impossible, telle était sa conclusion implicite. Les trois jeunes gens, qui l'avaient bien compris, échangèrent un regard.

« Mais je suis sûre que vous allez trouver une bonne idée, intervint l'institutrice, comme pour détendre l'atmosphère.

– Bien sûr, fit Tachikawa. Et si on préparait le brocciu et qu'on trinquait, Hashi ? lança-t-il avec fougue.

– Hum, je me disais bien que tu n'allais pas pouvoir patienter davantage. »

Hashi se laissa faire avec un sourire. « Ah, les jeunes... » Puis il mit sur le feu la casserole contenant le petit-lait, dans laquelle il versa du lait tout juste sorti du pis de Hanayo en expliquant :

« Le fromage serait trop mou avec seulement du petit-lait, il faut ajouter du lait frais. »

Le mélange se mit à bouillir aussitôt. De fines bulles se formaient et gonflaient en émettant de petits nuages de vapeur d'eau. Avec une louche, Hashi récoltait cette pellicule et la déposait dans un chinois.

« Ça, c'est l'espèce de peau qui se forme quand le lait bout ? demanda Tachikawa.

– C'en est proche. Mais la peau n'a ni le même éclat, ni la même saveur. »

Hashi écumait et filtrait, écumait et filtrait. Le chinois dans une main, la louche dans l'autre, il répétait le geste avec soin. Une odeur légèrement sucrée les enveloppa.

« Mais comment se fait-il que ça brille autant ? » demanda Kaoru.

Ryôsuke comprenait sa réflexion. C'était juste du petit-lait et du lait bouillis ; pourquoi le fromage d'un blanc pur en train de prendre forme sous leurs yeux avait-il le lustre d'un être aquatique ?

Hashi murmura : « C'est bon avec du miel. »

Du brocciu tout frais, charnu et luisant.

Le soleil était couché depuis longtemps ; à la lueur de la lanterne, ils remplirent de vin leurs verres dépareillés. Dans la nappe de lumière qui s'échappait de la maison, ils trinquèrent tous les cinq. La première gorgée avalée, il fut temps de goûter le brocciu. Chacun préleva une cuillerée de fromage dans le chinois et la porta à ses lèvres en silence.

Curieusement, ce fut Hashi qui poussa le premier un grognement de plaisir. Kaoru et Tachikawa, avec un soupir émerveillé, laissèrent échapper un petit rire.

L'institutrice fit rouler deux ou trois fois ses grands yeux humides.

« On croirait manger des nuages. »

Un éclat de lumière fugace ourla ses paupières.

Ryôsuke, un sourire accroché aux lèvres, se tourna vers les chèvres. La petite famille était tendrement réunie devant l'étable.

« Hanayo et Hashi, vous êtes des génies », déclara-t-il.

Hashi agita une main devant sa poitrine en signe de dénégation.

« Non, c'est clair, renchérit Tachikawa.

– Vraiment », ajouta l'institutrice.

Hashi, embarrassé, sortit un pot de miel. « Tenez, essayez donc avec ça. »

Il versa sur le reste de brocciu un peu du contenu doré du pot. À peine en avait-il porté une cuillerée à sa bouche que Ryôsuke comprit dans sa chair qu'il vivait un moment précieux. Une délicieuse douleur irradia ses joues, libérant dans son sillage la saveur du fromage frais.

Il observa chacun de ses compagnons. L'institutrice se tamponnait le coin des yeux du bout des doigts. Elle riait, et pourtant une larme roula sur sa joue. « Bravo,

Hanayo », murmura-t-elle, puis elle tourna vers Hashi un regard exalté. Kaoru, bouche bée, contemplait le ciel étoilé.

« Y a pas à dire, Hashi, il faut s'y mettre, fit Tachikawa.

– Ravi que vous ayez apprécié, mais… »

Il se tut, l'air désolé.

« Quel est le problème, Hashi ? demanda l'institutrice.

– Tout, rétorqua-t-il. Pour commencer : avec une seule chèvre, on n'ira pas loin.

– Et les chèvres de la montagne ? » s'enquit Ryôsuke.

La voix de Hashi descendit d'un ton :

« Elles… mieux vaut ne pas y compter. Malgré leur allure de chèvres laitières, en réalité, ce sont des bâtardes. Elles ne donneront pas autant de lait que Hanayo. Et si ces chèvres retournées à l'état sauvage sont laissées en liberté, c'est aussi parce que cela a une signification pour l'île.

– Qu'est-ce que vous voulez dire ? demanda Tachikawa.

– C'est pour la chasse.

– La chasse ? » répéta Kaoru.

Seule Mlle Yoshikado acquiesça. Ryôsuke reporta son regard sur le brocciu lustré. Hashi poursuivit :

« C'est la tradition : les hommes chassent les chèvres. Certains par goût, d'autres au cours du rite de passage à l'âge adulte. Quoi qu'il en soit, ici, tous les hommes chassent les pinzas.

– Ils pourraient s'en dispenser, lança Tachikawa en croisant les bras.

– On chasse bien le dauphin et la baleine. C'est comme ça ; pour la chasse aux chèvres non plus, il n'y a pas grand-chose à y redire », rétorqua Hashi. Puis, cherchant ses mots et détournant le regard, il ajouta : « Vous savez… Il y a une vingtaine d'années, j'ai eu le même éclair de génie que Ryôsuke. Cela n'a abouti à rien, mais je n'avais pas envie de repartir en ville pour autant. Alors, comment ai-je pu rester sur l'île ? En dépeçant les chèvres destinées à la boucherie. Voilà ce qui m'a permis de rester ici. Si je me suis tourné vers la pêche, c'est que… après avoir mis à mort de mes propres mains plusieurs centaines de chèvres, un jour, j'ai trouvé que c'en était assez. Aujourd'hui, ces mêmes mains tuent des poissons, mais ce n'est pas pareil. »

Ryôsuke regarda les mains de Hashi, dont la voix s'était étranglée. Ses doigts aux articulations noueuses serraient une petite cuillère.

« Ce qu'il faut pas faire pour vivre…, intervint Tachikawa. Quel dilemme. C'est peut-être insoluble, mais au moins, c'est du concret. Avoir vécu ça… Personne ne s'imagine que vous égorgiez les chèvres le sourire aux lèvres. »

Ryôsuke hocha la tête, imité par Kaoru.

« Moi aussi, je l'aurais peut-être fait pour vivre. Et puis, on mange de la viande depuis qu'on est petits », remarqua-t-elle.

L'institutrice leva son verre à cette déclaration.

« Je crois que c'est une réalité qu'on a tous un peu perdue de vue. Mais aujourd'hui, puisque nous avons dégusté du fromage frais confectionné avec le lait de Hanayo, si nous lui exprimions notre gratitude ?

– Ouais, je suis pour », fit Tachikawa.

Hashi ne se déridait pas. L'institutrice lui tendit un verre avec un grand sourire.

« C'est un nouveau départ, Hashi. »

Ryôsuke, son verre levé, le regarda droit dans les yeux.

« Quoi qu'il en soit, votre brocciu était délicieux. À mon avis, ça vaut vraiment le coup de tenter l'aventure. »

Tachikawa frappa dans ses mains.

Au même instant, Kaoru, qui s'apprêtait à prendre une photo avec son portable, tressaillit.

« Tiens ? Il y a quelqu'un là-bas. »

Elle tendit le doigt vers la camionnette de Hashi garée sur le chemin. En effet, on distinguait une silhouette.

« Hisao ? »

Lorsque l'institutrice l'interpella, la silhouette s'enfuit en courant.

« Le fils du Président ? Je le course ?

– Non, laisse tomber. »

Hashi arrêta d'un geste Tachikawa qui s'apprêtait à le poursuivre.

« Il… », commença l'institutrice.

Elle laissa sa phrase en suspens. Une ombre traversa son visage. Malgré la pénombre, Ryôsuke le vit clairement. Kaoru scrutait, elle aussi, l'expression de Mlle Yoshikado.

20

Tous les jours, après avoir pêché à la traîne, ils prenaient des poissons de roche. Les poissons bleus ne mordaient pas forcément au leurre, mais ceux de roche étaient toujours au rendez-vous, en plus ou moins grande quantité selon les zones de pêche.

Le bateau de Hashi dérivait parmi les écueils. Ryôsuke, qui commençait à avoir le coup de main, pêcha plusieurs sébastes marbrés d'affilée.

« La pêche est un revenu plus sûr que le fromage. Et puis, on dirait que tu es doué, remarqua Hashi.

– Non, j'ai le mal de mer en permanence. »

Le vieil homme rit en extrayant sa canne à pêche du poste de pilotage. « Moi aussi, c'était pareil au début. Écoute. Si tu t'intéresses aux aliments fermentés, pourquoi ne pas essayer avec du poisson ? Tu sais, de la sauce de poisson comme le nuoc-mâm vietnamien ou le nam pla thaïlandais.

– Ou le *shottsuru* d'Akita et l'*ishiru* de Noto. »

Ryôsuke arracha à Hashi une exclamation admirative.

« Ça, tu pourrais en faire une spécialité locale, et sans frictions, à la différence des chèvres. Qu'en dis-tu ? Tu ne veux pas changer ton fusil d'épaule ? »

Un poisson mordit à nouveau. La canne à pêche de Ryôsuke vibra, ça tirait fort. Hashi cala sa propre canne dans son support et saisit l'épuisette.

Ryôsuke rembobina son moulinet. La canne ploya en vibrant.

L'eau était si transparente qu'on distinguait nettement le poisson qui se débattait sous la surface.

« Ça, c'est un gros sébaste marbré », annonça Hashi.

Au même moment, le poisson se montra. Le scintillement de l'eau le dérobait par moments à leur vue, mais c'était de toute évidence un beau spécimen. Il se débattait avec une telle force qu'il aurait suffi d'une vague pour rompre la ligne. Ryôsuke parvint non sans mal à l'attirer à lui. Dans une gerbe d'écume, l'imposant sébaste entra dans l'épuisette tenue par Hashi.

« Bien !

– Il est énorme. »

Sur le pont, le poisson s'agitait de tout son poids. Sa nageoire caudale frappa le pied de Ryôsuke qui, un bref instant, eut l'impression que le poisson lui lançait un regard rageur. Sans tarder, Hashi lui perfora la tête au-dessus de l'ouïe avec un pic à glace. Le sébaste marbré perdit connaissance dans un spasme.

Hashi le rangea dans la glacière, une main dressée devant sa poitrine en signe de prière.

« Qu'on soit pêcheur ou fermier, notre travail revient toujours à prendre des vies.

– Hashi…

– Oui ?

– Au départ, vous travailliez en cuisine avec mon

père, n'est-ce pas ? Pourquoi cet intérêt commun pour le fromage ? »

Hashi se réinstalla au poste de pilotage.

« À l'époque… le restaurant qui nous employait était le genre d'établissement où il n'y a pas de cuisiniers formés comme il faut. Mais un jour, le chef a changé, il a été remplacé par quelqu'un qui s'intéressait à son équipe. Il nous disait, "Si vous voulez réussir dans la cuisine française, apprenez le français", et il nous offrait pour notre anniversaire un dictionnaire et un manuel de français achetés sur ses propres deniers. Mais ce n'est pas tout. Parfois, il nous faisait goûter de la vraie cuisine française. Ça changeait tout. Je ne sais pas où il se procurait ce caviar brillant aux gros grains d'un vert profond, ou ces truffes… Il disait que c'était le fonds d'une maison de commerce qui avait fait faillite… Il nous a même fait boire du romanée-conti.

– C'était une rencontre exceptionnelle.

– C'est lui qui nous a fait découvrir le vrai fromage. »

Hashi avait le regard perdu au-delà de l'île d'Aigaki qui pointait à l'horizon.

« Le choc, ça a été le roquefort. Accompagné d'un sauternes bien frais… »

Ryôsuke n'avait jamais bu de ce vin blanc. Ni mangé de ce fromage bleu qu'on appelle le roi des fromages.

« Ça vous a fait un tel effet ? demanda-t-il.

– En ce temps-là, les Japonais n'avaient que le fromage produit au Japon. On ne connaissait ni le roquefort, ni le gorgonzola, ni même le brie ou le camembert. Et pourtant, le chef nous faisait sans cesse goûter de nouveaux fromages. Et il nous faisait rêver. Il nous racontait qu'en France, il y avait des fermiers qui élevaient des chèvres et des moutons, qui fabriquaient du fromage selon une recette familiale connue d'eux seuls. Une exploitation bovine nécessitait beaucoup d'argent, mais un petit fermier régnait en maître sur son domaine. Il pouvait y adjoindre un restaurant. "Certaines personnes en vivent", disait-il. Voilà comment tout a commencé. Ça nous a valu de foutre notre vie en l'air. »

Ils pêchaient à la dérive et n'avaient pas ancré le bateau qui, poussé par les courants, s'éloignait de plus en plus. Mais Hashi se contentait de jeter un coup d'œil à droite et à gauche de temps à autre, sans rectifier la trajectoire.

« Qu'est-ce qu'il peut bien être devenu, ce chef ? Je ne sais même pas s'il est encore en vie. Et nous... »

Il se tut. Après un court silence, il lança une bouteille en plastique à Ryôsuke.

À quelques encablures du bateau, un banc de petits poissons, peut-être poursuivis par un prédateur, bondirent hors de l'eau. Des vaguelettes ondulèrent à la surface de la mer, comme une nappe de brouillard.

Hashi les suivit du regard, puis il se tourna une nouvelle fois vers Ryôsuke et reprit la parole :

« Tu n'as pas à te sentir redevable envers ton père. Tu dois suivre ton propre chemin.

– Oui, je sais. Mais je ne suis déjà plus si jeune... Alors que le monde évolue sans cesse, pour moi, c'est au contraire comme s'il avait de moins en moins de réalité, comme si mes fondations étaient sapées. Je comprends ce que ressentait mon père. Parfois, l'envie me prend de disparaître comme lui. Je me dis que ce serait mieux.

Mais une autre partie de moi le refuse. Si je choisis une autre fin que celle de mon père, si je réalise son rêve, au moins, sa mort n'aura pas été inutile…

– Tu ne devrais pas penser ainsi. De toute façon, vous n'avez pas du tout le même caractère. »

Après une légère hésitation, Ryôsuke acquiesça. Il porta la bouteille à ses lèvres. Les rayons du soleil avaient réchauffé la boisson.

« Mais il ne se passe pas un jour sans que je pense à cette époque où je marchais à peine, où nous étions ensemble, mon père, ma mère et moi, avec comme rêve d'avenir du fromage raté. Vous étiez là aussi, n'est-ce pas ? »

Hashi se raidit visiblement ; un moment immobile, comme paralysé, il finit par hocher la tête, une seule fois. Puis il tendit la main en direction du poste de pilotage pour mettre le moteur en marche. Le pont vibra, le bateau s'élança. En jetant des regards autour de lui, il s'appliqua à remettre l'embarcation dans la bonne direction.

« Moi aussi, j'y repense parfois. Il y a pourtant tant à faire, devant soi. Pourquoi toujours ressasser les jours perdus ? »

Il désigna du doigt les petits poissons qui frétillaient.

« Désolé d'interrompre la conversation, mais on va pêcher un peu au leurre. »

Ryôsuke acquiesça et se mit à préparer les hameçons.

21

Avec beaucoup de retard, la saison des pluies débuta. La chaleur et l'humidité s'abattirent sur l'île.

Il pleuvait sans interruption et l'air était si moite qu'il semblait palpable. La végétation resplendissait et, dans les champs, les plants de canne à sucre poussaient. Mais pour eux quatre, dans leur petite maison, ce fut la période de l'année où plus rien ne leur obéissait.

Tout se mit à moisir. La nourriture, les vêtements, les tatamis. Deux ou trois jours d'inattention suffisaient pour que même la toile du sac à dos de Ryôsuke se couvre d'une couche de moisissure grise. L'étable des chèvres ne faisait pas exception. Des champignons blanchâtres se développaient sur le foin dans la nuit.

Les fromages mis à affiner sur le rebord de la fenêtre de la cuisine furent bien entendu eux aussi recouverts de moisi. Des plaques noires, comme on peut en voir sur les gâteaux de riz pilé, apparaissaient à leur surface.

« C'est foutu, hein ? demanda Tachikawa, découragé.

– Avec cette humidité… », dit Kaoru.

Ryôsuke saisit un fromage et le sentit.

« Ce n'est pas une mauvaise chose, parce que les moisissures font progresser l'affinage. L'ennuyeux serait au contraire qu'il n'y en ait pas. »

Cela semblait échapper à Tachikawa, qui fit la grimace. « Mais c'est crade, non ?

– L'affinage, c'est la transformation des protéines en acides aminés. Et c'est le travail des micro-organismes et des moisissures, qui transforment les nutriments en saveur.

– Les protéines, en soi, ça n'a pas de goût ? s'enquit Tachikawa.

– Non.

– Mais il y a aussi des moisissures qui donnent le cancer, n'est-ce pas ? s'inquiéta Kaoru.

– C'est bien pour ça que tout dépend du choix de la flore qu'on va faire proliférer », intervint Hashi dans leur dos.

Ils l'avaient cru occupé à brûler le foin moisi.

« Sur le camembert, il y a un type de moisissure blanche. Et dans le célèbre fromage bleu qu'est le roquefort, des moisissures bleues. Trouver la bonne flore, c'est, pour ainsi dire, l'une des conditions sine qua non pour fabriquer du fromage. »

Il attrapa un chèvre et le frotta avec un chiffon pour ôter le moisi.

« C'est encore un peu tôt, mais si on y goûtait ? »

La surface du fromage, ferme et blanche, était striée de fines rides incrustées de moisissures noires, comme une multitude de racines.

« On va manger ça ? s'alarma Tachikawa.

– Bien sûr. Manger, c'est apprendre. »

Hashi s'empara d'un couteau et découpa le chèvre posé sur un tissu.

« Il n'est pas bien égoutté », constata-t-il.

Le fromage rond s'était écrasé sous la lame du couteau. Lorsqu'elle pénétra à l'intérieur, il s'affaissa.

« Il n'a pas supporté la chaleur. »

Chacun goûta à un morceau.

« Tiens.

– En fin de compte... »

Tachikawa et Kaoru sourirent. Ryôsuke semblait lui aussi soulagé. Le fromage paraissait loin d'être affiné, mais, comme une plume d'oiseau délicatement posée sur son palais, la saveur du lait qui se transformait peu à peu en acides aminés lui emplit la bouche. C'était une saveur tout à fait particulière, différente du goût généreux d'un fromage au lait de vache. Le parfum de l'herbe, la chaleur de Hanayo, une averse soudaine... C'était tout cela, concentré, qui rayonnait.

Seulement, une fois cette première émotion envolée, il lui sembla que le goût de moisi s'accrochait au palais. Un relent tenace, amer, sans rien à voir avec celui du bleu.

« Ce n'est pas une très bonne flore », observa Hashi.

Les jeunes gens l'avaient bien compris.

« Ça picote la langue, dit Kaoru, et elle but un verre d'eau.

– Cela dépend des fromages, mais en général, dans les hâloirs, la température est maintenue à un niveau inférieur à quinze degrés. Quand on laisse le fromage dans un endroit chaud et humide comme ici, toutes sortes de moisissures se développent. Avec la moiteur actuelle, en plus… Comme ils n'arrivent pas à sécher, on n'obtiendra sûrement que des fromages tout mous.

– La première bouchée n'était pas si mauvaise… », commenta Ryôsuke.

L'air désespéré, il regardait les chèvres alignés sur le rebord de la fenêtre.

« Il paraît que certains fermiers misent sur ce type de fromages qui réservent des surprises, ajouta Hashi. Mais ça, c'est valable en France, où les fromages atypiques font partie du paysage. Les temps ont changé, disiez-vous, mais qu'en pensez-vous ? À votre avis, les Japonais apprécieront-ils ce détestable goût de moisi ? »

Tachikawa et Kaoru secouèrent aussitôt la tête.

« C'est triste pour Hanayo », remarqua Tachikawa.

Ryôsuke partageait son sentiment. Tous trois tournèrent les yeux vers l'étable. Hanayo et Tsuyoshi levèrent la tête. Pûno, comme toujours, était accroché à la mamelle de sa mère.

Dans un coin du jardin, de la fumée s'élevait encore du foin brûlé par Hashi.

Ryôsuke eut soudain un éclair de génie. Il n'en avait jamais utilisé en cuisine, mais il avait vu dans le catalogue d'un fournisseur des chèvres d'importation tout noirs. Si ses souvenirs étaient exacts, il était spécifié que l'affinage se faisait sous une couche de charbon de bois.

« Hashi, dites-moi… il y a bien du chèvre noir, n'est-ce pas ?

– Oui, en effet. »

Hashi était dans la cuisine en train de laver le couteau. Il lui avait répondu le dos tourné.

« C'est du charbon de bois ?

– Oui. De la cendre.
– La cendre joue sur l'affinage ?
– Non, c'est un peu différent. Je pense que la cendre ne change rien. C'est juste qu'en saupoudrer le fromage permet d'éloigner la plupart des moisissures indésirables… »

Il s'interrompit et se retourna.

« Et avec de la cendre de foin, alors ? demanda Ryôsuke.
– C'est ce que je me disais aussi. Il y a également des fromages habillés de paille.
– Et de cendre de paille ?
– Je ne sais pas. »

Le couteau toujours à la main, Hashi croisa les bras.

22

Les matins où le ferry accostait, les hommes de l'île se répartissaient son chargement.

C'était un supermarché de la ville de R. qui avait l'exclusivité de l'approvisionnement ; les commandes de chaque famille de l'île étaient prises par téléphone ou par fax. Les produits frais, les vêtements, la papeterie, jusqu'aux appareils électroménagers et aux meubles étaient emballés et chargés sur le ferry.

Pour ceux qui vivaient de la pêche, c'était également l'unique possibilité d'écouler leur marchandise. Les caisses de poissons garnies de glace étaient entreposées dans le réfrigérateur du ferry. La coopérative piscicole de la ville de R. les achetait pour les revendre sur le marché. Les biens de consommation et les denrées alimentaires commandés en commun par le village étaient déchargés par la même occasion ; pendant l'heure suivant l'arrivée du ferry, il y avait donc beaucoup à faire. Tout le monde s'activait sans relâche.

C'est par un matin où tombait une pluie tiède et tenace que Tachikawa se fit tabasser sur l'embarcadère. Tous vêtus des mêmes imperméables, les villageois transportaient les colis. Tachikawa et Ryôsuke n'avaient pas de vêtements de pluie. Ceux qu'on leur avait prêtés pendant les travaux étant la propriété du maître d'œuvre, le contremaître les avait gardés. Pour décharger les marchandises, ils n'avaient eu d'autre choix que d'emprunter des vestes de pêche à Hashi.

Jurant qu'on marinait là-dedans, Tachikawa avait ouvert sa veste en grand et ôté la capuche. Parmi les hommes qui réceptionnaient les colis, lui seul était donc trempé comme une soupe. Ceux qui avaient déjà une dent contre lui y virent un signe de son je-m'en-foutisme.

« Tu vas essuyer ce paquet, oui ! » gronda un homme.

C'était l'un des acolytes de Mutsu.

Quand Ryôsuke et Hashi se retournèrent, Tachikawa était déjà étalé sur le sol mouillé. Il se redressa à moitié et, une main sur le visage, tenta de se relever. Mais l'homme lui assena un nouveau coup de pied dans la tête. Les autres se précipitèrent sur lui pour le maîtriser.

« Il n'en fiche pas une, ce type ! » dit-il hors de lui, et il essaya de décocher un autre coup de pied à Tachikawa qui gémissait. « Il s'est trompé de colis et il l'a posé sous la pluie sans un mot d'excuse ! » hurla-t-il à pleins poumons, comme pour justifier ses coups.

Tachikawa, assis par terre, saignait du nez. Les flaques d'eau se teintaient de rouge. L'équipage et les passagers du ferry assistaient à la scène depuis le pont, interloqués.

« Je suis désolé », intervint Hashi.

Il s'inclina devant l'homme qui écumait de rage. Ryôsuke approcha à petites foulées et se plaça à côté de lui.

« Qu'est-ce que vous fabriquez ici ? Les travaux

sont pourtant finis. Vous n'allez pas bientôt ficher le camp ?! » cria l'homme.

Il saisit soudain les cheveux de Hashi, attirant sa tête blanche vers lui.

« Je suis désolé ! » répéta Hashi.

Ryôsuke sauta sur le type qui tirait Hashi par les cheveux. Il prit alors un coup de poing décoché non pas par son adversaire, mais par quelqu'un sur le côté. Une dizaine d'hommes se battaient maintenant le long des bateaux, avançant insensiblement.

« Tu vas arrêter, oui ! »

Tachikawa mordait au genou un villageois qui tentait de lui faire lâcher prise en lui assenant des coups sur la tête, d'une main. Comme s'il cherchait à le mordre jusqu'au sang, Tachikawa s'acharnait, le corps raidi. Ils durent s'y mettre à plusieurs pour l'arracher à sa proie. Hashi s'était précipité pour lui protéger la tête. Le villageois les rouait tous les deux de coups en grognant.

C'est alors que, les yeux révulsés, le corps secoué de spasmes, Tachikawa s'effondra dans une flaque. Le genou du villageois était rouge vif. Le sang n'était pas le sien, mais celui qui avait coulé du nez de Tachikawa.

Hashi et Ryôsuke mirent Tachikawa au lit et s'allongèrent sur le plancher à ses côtés.

Kaoru s'empressait autour d'eux. Elle leur apportait des serviettes fraîches et enduisait de pommade le visage de Tachikawa. Il restait muet, les yeux clos. Il ne paraissait pas dormir. Une ride barrait son front. Jamais Ryôsuke ne lui avait vu une expression si douloureuse.

Ce jour-là, la pluie tomba sans discontinuer.

C'est à l'approche d'un crépuscule de plomb, sans la moindre trace de couleur, que Tachikawa ouvrit la bouche :

« Hashi, Ryôsuke... Pardon pour aujourd'hui. »

Hashi, qui s'était levé et buvait du *shôchû*, répondit simplement : « Ça va, ne t'en fais pas. »

Ryôsuke, qui dessinait dans un carnet les plans d'un hâloir, demanda :

« Tu souffres ?

– Un peu... Ça fait un peu mal », répondit-il, puis il se recouvrit le visage d'une serviette.

Il pleurait, semblait-il.

« Pardon. Euh... »

Le visage toujours sous la serviette, il se mit à parler d'un ton hésitant. Kaoru, occupée à lier des brassées d'herbe coupée, vint s'asseoir sur la marche du vestibule.

« Euh... j'y ai réfléchi toute la journée, mais... je n'y arrive pas. Je n'arrive pas à me dire que je vais continuer ici, comme vous... Désolé. Je peux repartir par le prochain ferry ? »

Personne ne réussit à lui répondre sur-le-champ.

Kaoru contemplait le ciel.

Hashi ouvrit la bouche pour parler et regarda Ryôsuke sans qu'aucun son ne sorte de sa bouche. Son stylo posé sur son carnet, Ryôsuke, les yeux embrumés, contemplait Tachikawa allongé. Seuls le martèlement de la pluie et ses sanglots étouffés flottaient dans la pièce.

« Si tu veux, dit enfin Hashi après avoir avalé une gorgée de *shôchû*. Non seulement toi, mais Kaoru et Ryôsuke aussi, vous pouvez repartir quand vous voulez.

On est tous pareils. Quand on parle de nos rêves… on finit par se sentir obligés de les réaliser. On croit avoir échoué, sinon. Mais moi, je connais quelqu'un qui, à force de s'accrocher à son rêve, a fichu sa vie en l'air. Un rêve peut tout simplement en rester un, non ? »

Hashi avait les yeux rivés sur Ryôsuke.

« Même si vos chemins se séparent maintenant, un jour sans doute… vous vous retrouverez. Imaginez, vous avez commencé par creuser une tranchée ensemble, et maintenant vous faites du fromage. Vous pouvez cheminer chacun de votre côté, vous êtes amis pour la vie. C'est plus précieux que tout. Quand on mène mon existence, on s'expose à ne plus jamais rencontrer certaines personnes, aussi fort qu'on le souhaite. »

Tachikawa continuait de faire entendre des sanglots étouffés. Kaoru n'avait pas bougé d'un pouce. Ryôsuke, un instant interdit, partit chercher des verres dans la cuisine ; il s'empara de la bouteille de *shôchû* de Hashi et servit un verre à chacun.

Un peu plus tard, ils eurent de la visite.

« Bah alors… » Quand il entendit cette voix, Ryôsuke crut que Toshio était venu les voir avec Mlle Yoshikado.

Mais en réalité, il accompagnait le Président et le contremaître, à l'abri sous des parapluies.

« Il paraît que ça a encore bardé ce matin. C'est ennuyeux », dit le Président.

Le contremaître, un pas en arrière, tendit une bouteille de *shôchû* en s'excusant.

Tachikawa se redressa. Kaoru se leva, son verre à la

main. Ryôsuke inclina la tête en silence. Hashi, effaré, vint à leur rencontre : « Je vous en prie, entrez.

– Non, je ne veux pas me déchausser. Et puis, à marcher sous la pluie, l'ourlet de mon pantalon est mouillé.

– Mais non, je vous en prie.

– Non, ça va. »

Le Président ne cédait pas ; le contremaître et Toshio restaient plantés à l'entrée, raides comme des piquets.

« J'aimerais dire que la faute est partagée, déclara le Président, mais d'après Toshio ici présent, l'incident de ce matin a été provoqué par un habitant de l'île. D'après lui, notre gars s'est vraiment mal comporté. Je suis donc venu vous présenter mes excuses. » Il s'inclina bien bas devant Hashi. « Je suis vraiment désolé. »

Le contremaître lui fit écho : « Désolé. » Pour une raison obscure, même Toshio s'excusa, « Bah, pardon ».

Hashi s'inclina, confus.

« Non, nous avons certainement fait quelque chose qui a déplu. C'est vrai, ce sont les autres qui ont frappé les premiers, mais autant considérer que les torts sont partagés. Ce sera mieux pour s'assurer des relations sans animosité à l'avenir, les jeunes en conviendront. »

Une expression de mécontentement traversa les visages de Tachikawa et Kaoru, mais ils n'ouvrirent pas la bouche.

« Hashi, reprit le Président, il paraît que vous aussi, vous avez pris des coups. N'est-ce pas, Toshio ?

– Bah alors, oui, c'est vrai. Il a morflé. »

Hashi regarda ses pieds.

« Non, moi...

– C'est moi qui vous ai fait venir ici. Vous manifester

du mépris, c'est me mépriser moi. Bon, ça fait une vingtaine d'années que j'attends une spécialité locale qui ne vient pas, mais enfin. Ha ha ha ! »

Hashi passa la main dans ses cheveux blancs.

« À vrai dire… ce fromage de pinza que vous essayez de fabriquer… Je commence à trouver ça intéressant. Les temps ont changé. Si vous pensez arriver à quelque chose, je suis prêt à revoir mon jugement. Faites un excellent fromage et je vous soutiendrai. Vous pouvez donc rester sur l'île si vous le souhaitez. Mais… mettez-vous à la place des gens d'ici, aussi. J'aimerais que ça se passe bien. Encore un incident et c'est fini. Vous me rendrez ce terrain, puisque c'est sur mes terres que je vous ai bâti ce logement. Tout ce qu'il y a ici, y compris les chèvres, m'appartient. N'est-ce pas, monsieur Hashida ? »

Hashi aquiesça, les yeux baissés.

« Tout ce que je veux, poursuivit le Président, c'est la paix. Après, votre avenir dépend de vos efforts. Ne l'oubliez pas. C'est du donnant-donnant. Qu'en dites-vous ?

– … Oui.

– Encore une chose. Dans trois jours, on raccordera le nouveau réservoir d'eau au réseau. Avec cette pluie, il est déjà plein. On organisera un banquet pour l'occasion. J'ai décidé qu'on abattrait le chevreau restant. »

Kaoru prit une inspiration. Le Président continua :

« Vous vous en occuperez, comme avant ? Vous le saignerez et le dépècerez ici, et vous me l'apporterez. »

Hashi ne répondit rien.

« C'est d'accord ? N'est-ce pas ?

– L'aubergiste ne pourrait-il pas le faire ?

– Cette tête de mule, il porte la poisse. L'autre jour, pour le premier chevreau, vous avez fini par vous battre et renverser le fait-tout. Et après, la vache de Mutsu s'est enfuie en le blessant. Sans lui, c'est dur pour décharger la cargaison. Donc, c'est vous qui vous occuperez du chevreau ici. C'est compris ?

– Oui.

– Bien. Désolé de vous avoir dérangé à cette heure. »

Le Président tourna les talons. Le contremaître se courba en roulant des yeux. Toshio, qui ne s'attendait pas du tout à cela, restait planté là, mais il partit précipitamment quand le Président lui cria de venir.

« Il fallait bien que ça arrive », murmura Hashi. Il tourna lentement les yeux vers Ryôsuke.

« Si tu veux faire du fromage coûte que coûte, c'est un écueil que tu devras de toute façon surmonter. »

Kaoru, pâle comme un linge, regardait Ryôsuke. Tachikawa s'était pris la tête entre les mains. Ryôsuke baissa les yeux.

23

Il était de retour dans la forêt vierge.

Le soleil apparut entre les nuages, transformant la montagne en étuve. De la vapeur d'eau remontait le long de la myriade de puits de lumière. Comme s'ils en tiraient les fils, les banians géants se dressaient, leurs branches tendues vers le ciel.

Ryôsuke était aussi impressionné que la première fois qu'il s'était égaré ici. Il avançait en regardant chacun de ces géants dans lesquels on était tenté de voir non pas un arbre, mais un individu. Il touchait leur écorce, admirait leurs branchages. Leurs racines les ancraient dans le monde végétal, mais ils semblaient chercher à évoluer vers un autre règne. Le simple fait de se trouver parmi eux lui donnait l'impression étrange de s'ouvrir à la parole de tous les êtres vivants, par-delà le temps.

La forêt profonde lui dévoila soudain l'entrée d'un autre monde. À un endroit, la roche dénudée de l'escarpement s'ouvrait sur un gouffre obscur.

Ryôsuke scruta la grotte. Il fit quelques pas à l'intérieur. Elle était suffisamment haute de plafond pour qu'il n'ait pas besoin de se courber, mais pas très large. En tendant les bras, il touchait les parois opposées.

Il balaya l'espace du regard. Avança. La lumière du soleil qui filtrait lui permettait de voir dans la pénombre. Il aperçut ce qui lui sembla être des crottes de chèvre. Certaines s'aventurent donc jusque-là, pensa-t-il.

Il avança encore et la température chuta brusquement. Il sentait comme un léger souffle d'air, sans arriver à en déterminer la direction. Sa peau humide de transpiration se rafraîchit.

Il se rappela ce que Hashi lui avait raconté. La Caverne des vaincus vue depuis le bateau. L'existence de cavités dans la Falaise des hommes de l'est. Si la vaste caverne, les cavités dans la falaise et cette grotte communiquaient, entendrait-il le mugissement de la mer et du vent ?

Au fond, la grotte formait un coude vers la gauche, après lequel il ne distinguait plus rien. Mais à force de scruter les ténèbres, il les sentit bouger imperceptiblement. La grotte débouchait ailleurs, c'était évident.

Il fit demi-tour. Arrivé au tournant, il aperçut des rais de lumière. Il n'avait pas eu le sentiment de s'enfoncer si avant, mais l'entrée, minuscule, lui paraissait loin. Il allongea le pas.

Une fois dehors, il retrouva l'humidité collante de l'air. Les arbres géants offraient à sa vue la cascade scintillante de leur généreuse verdure. Il respira profondément l'air humide de la forêt.

Son corps se réjouissait tout simplement d'avoir retrouvé le monde de la lumière. Il le sentait. Ni les plantes ni les animaux ne pouvaient vivre dans l'obscurité.

Mais alors pourquoi, s'interrogea-t-il, pourquoi ces crottes de chèvre dans la grotte obscure ?

Ce jour-là, les pinzas ne se montrèrent pas.

Le lendemain, il gravit de nouveau la montagne. Cette fois-ci, il était accompagné. Par Mlle Yoshikado.

À l'embarcadère, elle avait attendu le bateau de Hashi et Ryôsuke partis pêcher. Pendant qu'ils transportaient leurs prises jusqu'à la camionnette, elle avait interrogé Ryôsuke sur leurs progrès dans l'affinage du fromage.

Il lui avait répondu franchement qu'à cause de la prolifération de moisissures indésirables, les choses n'avançaient pas comme ils l'espéraient. Ils avaient essayé de saupoudrer les chèvres de cendres de foin, mais, faute de pouvoir contrôler la température, leur texture restait molle. Pour régler ces problèmes, la seule solution était de construire un hâloir climatisé en permanence ; peut-être que les îles du Sud ne se prêtaient effectivement pas à la fabrication de fromage. Puis il avait dit, sans trop réfléchir :

« Depuis hier, je vais en montagne pour essayer de traire les chèvres là-haut. Cet après-midi aussi, j'irai faire un tour dans la forêt. »

L'institutrice, qui n'y avait encore jamais mis les pieds, réagit aussitôt : « Je peux vous accompagner ? »

Un tête-à-tête au milieu des arbres géants. Les mots manquèrent à Ryôsuke.

« Je suis plus habituée que vous à traire.

– Eh bien d'accord, venez. »

Ils s'étaient mis d'accord à voix basse, à l'insu de Hashi.

« Vous n'avez pas l'air très enjoué », remarqua-t-elle. Ils étaient en route pour la forêt. Il s'est passé quelque chose ? demandaient ses prunelles humides.

Ce n'était pas son intention, mais, quand il croisa une nouvelle fois son regard, Ryôsuke lui raconta les événements des derniers jours.

« Pûno, vraiment ? demanda-t-elle.

– C'est une question de jours.

– Hashi va s'en charger ? »

Il répondit d'un signe de tête évasif. Une ombre passa sur le visage de l'institutrice.

Hashi avait été clair. S'il voulait fabriquer du fromage de chèvre, en faire son métier, Ryôsuke devait d'abord tuer un chevreau inutile. S'il n'en était pas capable, il lui faudrait renoncer.

Cette décision avait été différemment reçue par les trois jeunes gens installés chez lui, chacun selon sa sensibilité. Kaoru et Tachikawa, pour qui fabriquer du fromage n'était jamais que le rêve de Ryôsuke, n'avaient aucune raison de tuer un chevreau qu'ils cajolaient, auquel ils avaient donné un nom. Simplement, Kaoru trouvait maintenant que si cela faisait partie du contrat, Ryôsuke devrait peut-être reconsidérer sa position. Tachikawa avait réagi de façon plus épidermique : « Quel que soit ton rêve, si tu tues Pûno, ça te laissera un souvenir amer toute ta vie, non ? Tu n'es pas obligé de devenir producteur, tu pourrais tout aussi bien ouvrir un restaurant de fromages, tu ne crois pas ? »

Ryôsuke était indécis. Si les choses suivaient leur cours, ce serait à lui d'abattre Pûno. Mais il ne se sentait pas encore prêt. Il se trouvait lâche. Tuer Pûno de ses propres mains lui semblait inconcevable. Pourtant, les gens d'ici avaient toujours vécu ainsi. Et pas seulement les gens d'ici ; tout le monde, à vrai dire. Si nous devions nous procurer nous-mêmes notre propre nourriture, nous aurions tous du sang sur les mains.

Hashi avait sombré dans le mutisme.

Puisqu'il avait mis à mort des centaines de bêtes, il aurait dû avoir l'habitude, mais c'était justement pour cette raison qu'il avait changé de métier. En outre, c'était lui qui avait pris soin des chevreaux depuis que Hanayo avait mis bas. Sans doute ne pouvait-il rester serein à la pensée de tuer le petit qu'il avait nourri et fait gambader dans son jardin, songeait Ryôsuke.

La forêt d'arbres géants laissa Mlle Yoshikado sans voix.

La majesté des banians, leur éloquence, fascinait l'institutrice qui avançait parmi eux en les regardant avec révérence, les effleurant de la main. Sa respiration parvenait aux oreilles de Ryôsuke, comme si c'était le seul son à émaner du silence profond de la forêt.

Elle admirait un arbre géant au tronc noueux. Derrière elle, Ryôsuke avait les yeux rivés sur ses épaules rondes. Son corps, sa chevelure étaient à portée de main.

Il réfléchit à plusieurs reprises à ce qu'il allait faire, brûlant de s'unir à ce corps souple.

Il lui suffirait de tendre la main, doucement.

Ses doigts avancèrent. Le parfum de la forêt s'éloigna.

« Ryôsuke, et si on grimpait là-bas ? » proposa-t-elle soudain.

Il détourna le regard de ses épaules. Recula d'un pas.

Elle désignait du doigt la branche imposante d'un arbre énorme. Penché sur un côté, le banian était couvert de nœuds et de bosses. Ses racines aériennes pendaient telles de grosses lianes ; s'ils se débrouillaient bien, ils devraient réussir à y monter.

Ryôsuke passa en premier. À cheval sur la branche plus épaisse qu'il ne l'imaginait, il était bien installé. Et les racines aériennes étaient rassurantes. L'endroit formait une sorte de berceau, réalisa-t-il alors.

« Ça a l'air d'aller », lança-t-il.

L'institutrice grimpa à son tour. Non sans hésitation, elle saisit la main qu'il lui tendait. Il la porta à moitié, jusqu'à ce qu'elle soit assise du côté du tronc. Ils se sourirent. Puis, Ryôsuke tourna le dos à l'extrémité de la branche et s'installa face à elle.

Toujours souriante, elle le fixait de ses prunelles humides.

Mais ils détournèrent bientôt le regard.

Il y avait tout d'abord eu un craquement de branche.

Le troupeau avait progressé sans bruit depuis le fond de la forêt, du côté du rivage. La chèvre noire apparut, secouant les fourrés. Ensuite, Buchi. Une à une, les chèvres rendues à l'état sauvage s'attroupèrent. Les chevreaux arrivaient dans le sillage des femelles. Alors qu'on les croyait en train de brouter derrière leur mère, ils bondissaient soudain, comme montés sur des ressorts. Ils ne tenaient pas en place.

Devant ce spectacle, l'institutrice gloussa. C'était un tout petit rire, presque un soupir, mais les chèvres réagirent d'un bloc. Elles s'immobilisèrent, les oreilles dressées. Aux aguets, la moitié d'entre elles levèrent la tête. Certaines les repérèrent dans l'arbre et bondirent se cacher dans les fourrés. Peut-être sous l'effet de la surprise, les autres suivirent leur exemple. Les chevreaux, perdus, couraient en rond avant de disparaître dans les buissons.

« … Pardon. »

Elle plongea son visage dans ses mains. Ryôsuke les effleura.

« Ne vous en faites pas. »

Comme il le supposait, les chèvres n'étaient pas parties pour de bon.

Ils descendirent du banian et attendirent ; à leur tour, les chèvres émergèrent des fourrés, précautionneuses. La première à se montrer, Ryôsuke la connaissait bien.

« Buchi ! » lança-t-il.

Elle avança droit vers lui. Derrière elle apparut une chèvre blanche qu'il avait déjà rencontrée. Elle ressemblait fort à une *saanen* laitière. À ses côtés se tenait un petit. La biquette noire émergea elle aussi d'un autre buisson.

Elles étaient toutes revenues. La plupart, sur leurs gardes, formaient un large cercle autour d'eux, mais, peut-être rassurées de voir Buchi frotter son museau contre les reins de Ryôsuke, elles se rapprochèrent peu à peu. La chèvre noire vint renifler les hanches de l'institutrice, qui tenta de lui caresser la tête. Elle fit un bond en arrière avant de revenir, le cou tendu. La scène se répéta.

« Peut-être que »..., dit Mlle Yoshikado.

Les pinzas ne firent pas mine de se sauver au son de sa voix. Elles se contentèrent de remuer les oreilles.

« Peut-être que nous ferions mieux de nous accroupir. On dit que les animaux craignent les êtres plus grands qu'eux. »

Elle avait raison.

Lorsqu'ils se furent baissés, les chèvres se rapprochèrent d'un coup. Elles avançaient en agitant le museau. Leurs têtes se pressaient juste sous leurs yeux.

Ryôsuke rit, et elles reculèrent de nouveau. Mais elles s'étaient immobilisées, comme pour réfléchir avant de refaire un pas en avant.

« Regardez ! »

L'institutrice caressait la tête d'une femelle blanche.

« Déjà ? »

La femelle restait aux aguets, ses pattes arrière tendues, mais elle n'essayait pas de fuir. La main de l'institutrice s'aventura de la tête vers l'échine. La chèvre ne bougea pas. Au contraire, elle approcha son museau du visage de Mlle Yoshikado qui passa la main dans sa toison, ses doigts progressant vers le ventre.

Elle mit un genou à terre et tendit une main pour effleurer la mamelle pendante. Tout doucement, juste une caresse sur le pelage. Un chevreau arriva alors. Jusque-là, les petits les avaient évités et préféraient gambader derrière le cercle des adultes. Pourtant, peut-être inquiet de voir qu'on touchait sa mère, celui-ci se fraya un passage en sautillant. L'institutrice laissa sa main en place. Puis elle se mit à masser le pis avec délicatesse.

Des gouttes de lait tombèrent, une à une. Pas assez pour former un arc comme le lait de Hanayo, mais elles faisaient des taches d'un blanc laiteux sur les feuilles mortes.

L'institutrice écarta la main, toujours aussi lentement, et, tout en flattant la chèvre, se redressa.

« On s'arrête là pour aujourd'hui », murmura-t-elle du bout des lèvres. Elle regarda Ryôsuke. « Je crois qu'il vaudrait mieux venir tous les jours, pour les habituer. »

Ryôsuke acquiesça. Tout en caressant Buchi, il se releva en douceur.

Les chèvres sursautèrent et reculèrent d'un pas. Mais elles ne s'enfuirent pas. Elles le scrutaient de leurs yeux dorés.

« À partir de demain, vous pourriez leur apporter l'herbe coupée dont elles sont friandes, suggéra l'institutrice en se relevant. À mon avis, il y a de l'espoir.

– Vous êtes épatante. »

Les chèvres formaient à nouveau un cercle autour d'eux. Derrière elles, les petits jouaient. Les banians géants veillaient sur eux tous. Leur dais de feuilles et de racines aériennes transformait les ardents rayons du soleil de plein été en un doux scintillement vert.

Ryôsuke se mit lentement en marche, comme pour guider le troupeau. Buchi lui emboîta le pas. Derrière elle venait la chèvre noire.

« Ryôsuke, où allez-vous ?

– Je voudrais vérifier quelque chose. »

Il se dirigeait vers l'entrée de la grotte.

« Une grotte, ici… C'est effrayant, murmura l'institutrice, les yeux sur les ténèbres qui fendaient la roche.

– Elles ont laissé des crottes ici et là. Je me demande si elles ne viennent pas y dormir. »

Il observa les chèvres en silence.

Si ne serait-ce qu'une seule d'entre elles pénétrait dans l'ouverture, il parviendrait à cerner leurs habitudes. Il ignorait encore à quoi cela pourrait lui servir, mais il souhaitait appréhender le mieux possible leur comportement.

Cependant, ils eurent beau les surveiller, pas une seule ne fit mine d'entrer dans la grotte. Au lieu de quoi, l'institutrice lança une remarque inattendue :

« Dites-moi, Ryôsuke… Un hâloir, on appelle bien ça une *cave**, n'est-ce pas ?

– Oui.

– Sans hâloir, on ne peut pas faire de fromage ?

– C'est difficile.

– C'est juste une idée, mais… Quand j'étais étudiante, j'ai pris quelques cours de français. Vous savez, en anglais et en français, beaucoup de mots se ressemblent. Ils se prononcent juste différemment. Ce mot, “cave”, ce ne serait pas le même que *cave*, en anglais ?

– *Cave ?*

– Oui, *cave*, comme grotte, ou caverne. »

Ryôsuke en resta bouche bée.

« Les hommes fabriquent du fromage depuis très longtemps, n'est-ce pas ? Ils n'avaient pas de climati-

---

* En français dans le texte.

seur pour contrôler la température. Ce n'était possible que dans des endroits comme celui-ci.

– Mademoiselle Yoshikado… »

Ryôsuke se rappela la fraîcheur de l'air sur sa peau à l'intérieur de la grotte, quand il l'avait visitée la veille. Même au cœur de l'été, là-bas, la température et l'humidité restaient stables.

Un frisson lui parcourut la colonne vertébrale. Le roquefort, roi des fromages. L'origine du nom de ce noble fromage bleu lui revint enfin.

Pourquoi n'y avait-il pas pensé plus tôt ?

Roquefort, c'était le nom d'un village truffé de grottes. Et c'était dans ces grottes que le roquefort, connu dans le monde entier, était affiné !

« Mademoiselle Yoshikado ! »

Incapable de trouver les mots, il restait planté devant l'institutrice.

Les chèvres les observaient en agitant leurs oreilles.

24

Lorsqu'il regagna le village, le soleil était déjà couché. Il se faufila entre les maisons éclairées.

Avoir compris le double sens du mot « cave » constituait un énorme pas en avant. Car l'île possédait justement des caves.

De même que la végétation ondule sous une brise imperceptible, Ryôsuke était mû par une force invisible. Il en avait à présent la certitude. Ses pieds dévalaient les chemins en pente de l'île.

Mais quand il eut dépassé l'école d'Aburi, ses jambes se firent lourdes sur le sentier sombre.

Loin de la forêt primaire, la réalité restait inchangée. Pûno était condamné à mourir d'ici le lendemain. Et pour Ryôsuke, la fuite n'était pas une option.

Il passa devant l'entrée et se dirigea vers le jardin, d'où il aperçut Tsuyoshi et Hanayo enfermés dans l'étable. Pûno était seul à l'extérieur et il bêlait, collé contre le bâtiment. Hanayo se manifestait elle aussi avec des bêlements plus aigus que d'habitude.

Hashi, solitaire, était installé à la table de jardin. Sans

même avoir pris la peine d'allumer la lanterne, il buvait dans l'obscurité.

« Te voilà de retour. » Il tendit un verre à Ryôsuke. « Je t'attendais. Si tu buvais un peu, pour commencer ?

– Où sont les deux autres ? » demanda Ryôsuke.

Tachikawa et Kaoru n'étaient nulle part. Hashi gardait tendue la main qui lui offrait un verre. Ryôsuke le saisit et prit un siège.

« Je leur ai dit que j'attendais ton retour pour m'occuper de Pûno. Je leur ai conseillé d'aller faire un tour s'ils préféraient ne pas être là. »

Ryôsuke regarda Pûno une nouvelle fois.

« Et ils sont partis ? »

Hashi acquiesça sans rien ajouter.

Ryôsuke était assis, son verre à la main. Hashi le remplit de *shôchû*. Il buvait le sien sec.

« Ç'a été un choc, on dirait. Ils ont joué un peu avec Pûno et ils sont partis en pleurant comme des enfants. Je suppose qu'ils sont sur le rivage.

– Je vois…

– Buvons et finissons-en ! » lança-t-il.

Il vida son verre d'un trait. Ryôsuke, le sien à la main, gardait les yeux baissés sur la table. Son corps se raidissait, envahi par la fièvre.

« Allez, à ton tour », fit Hashi.

Ryôsuke hocha la tête sans piper mot et vida comme lui son verre cul sec.

« Voici comment on procède : dans le ragoût de chèvre, on ne perd rien, même le sang. Il est incorporé au plat. Donc, une fois la carotide sectionnée, on le recueille dans un seau. Si tu as le geste sûr, il mourra sans trop souffrir. On va faire ça derrière la maison », ajouta-t-il dans un murmure.

Il posa son verre sur la table et se leva.

Ryôsuke le suivit ; il avait les jambes en coton, le sol se dérobait sous ses pieds. Il se sentait à deux doigts de s'effondrer. Mais, sans bien comprendre pourquoi, il se reprit, sûr de lui, et dépassa Hashi au pas de charge pour s'approcher de Pûno en premier.

« Pûno, viens ici ! » appela-t-il.

Il prit dans ses bras le chevreau qui chercha à s'enfuir d'un bond. Hanayo bêla encore plus fort. Tsuyoshi donna un coup de tête dans le mur de l'étable. Pûno s'était calmé, il était blotti contre Ryôsuke, silencieux.

« Viens, Pûno, on va là-bas. »

Le chevreau dans les bras, il se dirigea vers l'endroit indiqué par Hashi. Il entendait Hanayo bêler dans son dos. Pûno, qui s'était tenu coi, s'agita soudain lorsqu'ils quittèrent le jardin. Tremblant de tous ses membres, il chevrotait d'une voix rauque.

Un peu à l'écart de l'éclairage de l'entrée, une bâche était étalée sur le sol, un seau et un couteau posés dessus. Serrant dans ses bras Pûno qui se débattait, Ryôsuke s'assit sur la bâche.

« Tu vas y arriver ? demanda Hashi.

– Je ne l'ai jamais fait.

– Ne te force pas.

– Non, c'est moi qui m'en charge. »

Il coinça entre ses cuisses les pattes arrière de Pûno qui ne cessait de bêler. Hashi lui mit le couteau dans la main droite. Ryôsuke sentit le cœur du chevreau se mettre à battre follement.

« Sois courageux, Pûno », lui dit-il.

Il frotta brièvement sa joue contre celle du chevreau. Ensuite, il lui attrapa le museau de la main gauche et le souleva de façon à ce qu'il ait le cou bien tendu. Pûno se débattait de toutes ses forces. Ryôsuke fit glisser la pointe de la lame contre sa gorge.

« Plus profond ! » cria Hashi.

Il recommença, les dents serrées. Pûno bêlait d'une voix rauque qu'il ne lui connaissait pas. Il luttait, tremblant. L'instant d'après, Ryôsuke le sentit s'affaisser. Hashi se dépêcha d'approcher le seau. Le sang coulait lentement le long des doigts et des bras de Ryôsuke, teintant de rouge le ventre et l'arrière-train du chevreau.

« Pûno, Pûno, Pûno… », répétait-il.

Le chevreau rendit son dernier souffle dans un spasme. Hanayo bêlait sans relâche.

Le sang s'accumulait dans le seau.

« Ce n'est pas la peine de le serrer si fort, il a perdu connaissance », dit Hashi.

Pûno avait le museau couvert de sang, mais ses petits yeux dorés étaient restés entrouverts. On aurait dit qu'il regardait au loin.

« Je m'occupe de le dépecer », annonça Hashi.

Lorsque le chevreau fut vidé de son sang, il tenta de s'en emparer. Mais Ryôsuke, les bras et les coudes comme paralysés, n'arrivait pas à le lâcher. Avec l'aide de Hashi, il parvint enfin à le déposer sur la bâche.

Hashi commença aussitôt à le dépecer. Il ôta d'abord la peau en partant du cou. Il procédait d'une main ferme mais douce.

Ensuite, c'étaient des gestes que quiconque avait déjà

travaillé en cuisine connaissait. Mais le temps semblait s'être arrêté pour Ryôsuke, incapable de prononcer le moindre mot. La flaque rouge sur la bâche lui rappelait le moment où il s'était tailladé la poitrine. À force d'imaginer la souffrance de Pûno, la cicatrice sur son torse se mit à l'élancer terriblement, en rythme avec les battements de son cœur.

Il entrouvrit les yeux, tâchant d'accepter la réalité. Le chevreau était devenu un tas de chair, de la viande découpée en morceaux. Pûno, qui il y a quelques minutes encore gambadait dans le jardin. Et c'était lui qui l'avait assassiné.

« Hashi… Pardon, parvint-il enfin à articuler, une fois le dépeçage achevé.

– C'est terminé. Va le leur annoncer. » Hashi avait parlé sans le regarder.

Ryôsuke, les bras et les mains rouges de sang, se mit en marche d'un pas chancelant. Les bêlements de Hanayo lui vrillaient les tympans.

Pour l'instant, il était bien incapable de l'approcher.

Le port abandonné, en contrebas des champs de canne à sucre, n'était pas éclairé.

Une demi-lune flottait dans le ciel, faisant ressortir la digue de pierres empilées. Tout au bout, il vit Tachikawa et Kaoru. Ils semblaient avoir entendu ses pas, car ils se retournèrent sans qu'il ait à les interpeller.

Il s'assit un peu à l'écart.

Tachikawa et Kaoru tournèrent à nouveau le visage vers la mer. Cette nuit-là, les noctiluques semblaient particulièrement nombreuses. À chaque vague qui s'échouait, la surface de la mer scintillait d'une lueur argentée. La masse de plancton phosphorescent ourlait d'un trait lumineux les contours de la digue.

« Ça brille, alors on regarde. »

Tachikawa avait parlé de son ton habituel.

« C'est dingue. Les vagues sont toutes brillantes, ajouta-t-il.

– Oui. »

Le silence retomba.

À force de regarder le scintillement argenté apparaître et disparaître, Ryôsuke oublia ce qu'il avait à dire. Pire, il n'avait plus envie de parler.

Le silence s'étira. Ryôsuke prit enfin la parole :

« C'est fait.

– Bien. »

Tachikawa lança quelque chose dans les flots. Un éclat de ciment, peut-être. L'impact avait fait surgir une lueur bleutée, et un trait lumineux en souligna la trajectoire sous l'eau.

« Tiens, une étoile filante, murmura Kaoru. Désolée, mais… moi aussi, j'ai décidé de repartir par le prochain ferry.

– D'accord.

– J'aurais pu rester jusqu'à ce que le fromage soit prêt, mais…

– Oui.

– Pour faire quelque chose pour de bon, fit Tachikawa, faut vraiment le vouloir. C'est vrai pour tout.

– Oui.

– Comment c'était ? demanda Kaoru.

– S'il faut en passer par là à chaque fois... je ne crois pas que je pourrai.
– Mais si tu renonces maintenant, ça va être encore plus dur, remarqua Tachikawa.
– Oui. »
À son tour, Kaoru lança un caillou dans l'eau. La surface de la mer brilla.
« Pardon, mais en fin de compte, on part tous les deux avant toi, dit-elle.
– Ça va aller. »
De nouveau, le silence s'installa.
Sous le clair de lune diffus, Ryôsuke s'examina. Il s'était rincé au robinet, mais il avait encore du sang de Pûno sur le coude et à l'intérieur des bras.
Il descendit de la digue en pierre pour plonger les bras dans l'eau. La lumière bleutée des noctiluques souligna leur contour.
« Qu'est-ce que tu fais ? » demanda Tachikawa du haut de la digue.
Ryôsuke ne savait que répondre, alors, il dit la vérité :
« J'ai du sang de Pûno sur les bras.
– Oh non... »
Kaoru poussa un long soupir. Au bout d'un moment, tous deux le rejoignirent.
« Les noctiluques arrivent à reproduire la forme des mains ? » murmura Kaoru, les yeux sur Ryôsuke qui se rinçait.
Au même instant, une vague les couvrit tous trois d'embruns. Ils se relevèrent précipitamment, trempés de la tête aux pieds.
Comme en réaction à l'eau froide, Ryôsuke se rappela

la sensation de Pûno qui se débattait dans ses bras. La cicatrice sur sa poitrine se remit à l'élancer. Désemparé, il descendit une par une les marches de la digue plongées sous l'eau. Ses chaussures aux pieds, il entra dans la mer.

« Mais qu'est-ce que tu fabriques ? s'exclama Tachikawa.

– Tu y vas tout habillé ? » fit Kaoru.

Penchés en avant, ils essayaient de le rattraper, mais il se mit à nager dans la rade.

« Oh ! Les noctiluques dessinent la forme de ton corps ! s'écria Tachikawa, son entrain retrouvé.

– Adieu ! cria Ryôsuke.

– Attends ! » répliqua Kaoru.

Elle avait ôté son jean et ses chaussures. Tachikawa s'affola : « Mais ça va pas, non ? »

Dans un éclaboussement, elle plongea dans l'eau. Puis, sa voix retentit : « Kikuchi, j'arrive ! »

Ryôsuke se laissait flotter à une dizaine de mètres de la digue. Kaoru progressait lentement vers lui. De là où il se trouvait, en effet, il voyait son corps ourlé d'une lumière bleutée.

« Vous êtes fous, tous les deux ! »

Tachikawa continuait à s'agiter sur la digue. La silhouette phosphorescente de Kaoru se rapprochait de Ryôsuke.

« Kikuchi, vivre, c'est… »

Arrivée près de lui, elle flotta en s'aidant des deux mains, battant maladroitement la surface de l'eau. Autour d'elle, l'eau scintillait.

« C'est douloureux, hein », poursuivit-elle.

Elle ne paraissait pas être une très bonne nageuse. Sa

tête, lisérée de festons lumineux, montait et descendait dans l'eau. Il passa un bras dans son dos pour la soutenir. Elle s'accrocha des deux mains à son cou.

« Je croyais que sur une île, la vie serait plus facile, plus douce. »

Il la serra fort entre ses bras. Les lèvres de Kaoru effleurèrent sa joue.

« J'ai pas le choix, à ce que je vois ! lança Tachikawa avant d'ôter à son tour ses chaussures et son pantalon.

– Il pourrait s'abstenir », murmura Kaoru, toujours accrochée à Ryôsuke.

Mais ils entendirent un gros plouf et la silhouette de Tachikawa disparut de la digue. Aussitôt, elle s'écarta de Ryôsuke.

« On brille tous ! C'est dingue. J'ai jamais vu ça, cria Tachikawa en approchant.

– C'est vrai que c'est impressionnant », reconnut Kaoru.

Elle tendit la main à Ryôsuke, qui l'attrapa.

Ils flottaient tous les trois dans l'eau, se regardant scintiller les uns les autres. L'éclat des noctiluques paraissait se renouveler à l'infini. Comme un immense être protéiforme qui leur aurait tourné autour, elles brillaient sans cesse.

Ryôsuke leva le visage vers le ciel sombre traversé par la Voie lactée. Les prunelles dorées de Pûno lui apparurent. Pûno qui, quand il l'avait vu pour la première fois chez Hashi, sautillait et gambadait en tous sens, comme heureux d'être né.

Que pouvait bien ressentir Hanayo ? Une mère privée du petit qui tétait sa mamelle gonflée. Peut-être pousserait-elle encore longtemps des bêlements aigus.

25

Le lendemain matin, Tachikawa et Kaoru passèrent devant les hommes qui déchargeaient les colis pour monter à bord du ferry. La majorité d'entre eux leur fit au revoir en souriant, et Toshio et le contremaître vinrent leur dire adieu. Hashi et Ryôsuke restèrent longtemps sur l'embarcadère. Les villageois étaient repartis et le ferry déjà loin qu'ils étaient encore là.

Cela avait été un départ sans tambour ni trompette. Quand Ryôsuke quitta l'embarcadère, installé sur le plateau de la camionnette, il n'y avait plus personne. Il lui restait seulement, dans la poche de poitrine de sa chemise, une feuille avec leurs coordonnées.

Lorsque Tachikawa la lui avait remise sur le quai, il lui avait soufflé : « N'en fais pas trop » avec un sourire juvénile. Kaoru avait seulement dit : « À la prochaine… »

Y aurait-il une prochaine fois ? Il n'en savait rien et tout ce qu'il avait réussi à dire à ses compagnons qui se dirigeaient vers le ferry, c'était : « Prenez bien soin de vous », en agitant la main. Kaoru s'était retournée à plusieurs reprises pour le regarder.

Peut-être s'était-il montré froid ? Sur le plateau de la

camionnette, le regard perdu sur la mer en contrebas, il ressassait les mots qu'il n'avait pas su leur dire.

L'après-midi, on fêta le raccordement du nouveau réservoir et le banquet fut organisé dans la salle communale. Le ragoût de chèvre préparé avec le sang et la viande de Pûno était au menu.

Après avoir beaucoup hésité, Ryôsuke n'y participa pas. Il savait bien que son absence ferait jaser, mais rester impassible devant le fait-tout aurait été au-dessus de ses forces.

Il gagna la montagne, seul. Pour la première fois, il gravit la Pente aux femmes en direction du sommet du mont Aburi. Il dépassa le raidillon qui menait à la forêt de banians et grimpa, pas à pas.

Était-ce à cause du vent qui balayait les environs en permanence ? À l'approche du sommet, les arbres se raréfiaient, il n'y avait plus que de l'herbe au bord du sentier. À chaque bourrasque de vent marin, la végétation qui recouvrait la roche ondulait et miroitait.

Que ferait-il si, comme le jour où il s'était égaré sur la falaise de la Pente aux hommes, ses démons intérieurs se réveillaient ? Il n'était pas sans éprouver une certaine inquiétude. En hauteur, il se pouvait que la pulsion d'en finir l'envahisse à nouveau. Néanmoins, malgré la sueur froide dans son dos et ses jambes tremblantes devant la mer à ses pieds, il progressa un pas après l'autre.

Il arriva au sommet du mont Aburi, non loin de l'installation de radiodiffusion qu'il avait vue du ferry. C'était le point le plus élevé de l'île, et aussi de tout l'univers qu'il embrassait du regard.

Il savoura la vue panoramique qui s'offrait à lui. Le bleu du ciel et de la mer s'étendait à l'infini, il était au plus près des cieux, fouetté par la brise toujours renouvelée qui l'enveloppait de ses sifflements incessants.

Il s'allongea et regarda le ciel dans lequel filait un chapelet de petits nuages brillants. Tous se ressemblaient, mais chacun avait une forme différente. Une drôle d'idée jaillit soudain dans son esprit. Les nuages joufflus ne devaient-ils pas leur blancheur, leur luminosité, à une myriade d'âmes, à l'âme d'êtres autrefois vivants ?

Il pensa à Pûno. Pûno, qui avait gambadé gaiement dans le jardin de Hashi. Cette âme d'enfant, où se trouvait-elle donc maintenant ? Dans ces nuages ? Dans la brise ?

Dans ce cas… Il poussa sa réflexion plus loin. Et son père, qui l'avait tenu par la main quand il était petit ? Où était aujourd'hui l'âme de cet homme qui s'était pendu, qui avait mis fin à ses jours ?

Être ici. Avoir été là. Quelle était la différence ?

Dans la lumière ruisselante, il réfléchit aussi au commencement et à la fin de ce phénomène qu'on nommait soi. Par moments, il ne ressentait plus sa propre existence. Et si ce qu'il croyait être, en réalité, n'existait pas ici-bas ? Et s'il n'était qu'un caprice de l'univers, son existence une simple illusion ondoyant comme un mirage de chaleur ? Ce genre de pensées lui venait souvent. Cela lui semblait lié à ce geste qu'il avait eu de se taillader la poitrine.

Il se redressa ; assis sur l'herbe, les yeux sur la ligne d'horizon, il s'interrogea encore sur l'existence de l'âme.

Il avait beau savoir qu'il ne trouverait pas de réponse, il continuait à y penser.

Il prit conscience qu'il se passait la main sur le torse. Sous le bourrelet de la cicatrice, son cœur, qui n'était peut-être guère plus qu'un météore, battait néanmoins avec régularité.

Le crépuscule était déjà proche quand il arriva chez Hashi qui, assis par terre dans la cuisine, buvait du *shôchû* tout seul.

« Il a eu du succès », fit-il, la bouche pâteuse.

D'après lui, le ragoût de Pûno avait disparu en un clin d'œil.

Ryôsuke posa son verre sur le sol pour l'accompagner. Après quelques commentaires sur chacun des hommes de l'île, Hashi prit soudain un air grave.

« Il faut que je te dise... », commença-t-il ; c'était à propos de la fête pour célébrer le passage à l'âge adulte du fils du Président. Le père avait laissé échapper l'information pendant le banquet : la cérémonie aurait lieu dès la fin de la saison des pluies. Cela signifiait qu'on partirait à la chasse aux chèvres dans la montagne.

« Tu sais... le ragoût de Pûno était un délice. »

Hashi remplit à ras bord le verre de Ryôsuke.

« La viande avait une saveur profonde et douce. J'aurais aimé que tu y goûtes.

– Pardon. »

Il a sans doute raison, pensa Ryôsuke. J'aurais dû en manger. Puisque nous l'avons baptisé, élevé et tué ensemble. Mais il n'en avait pas eu la force.

« Je ne voudrais pas sacrifier aux formules toutes

faites comme "le manger, c'est rendre hommage à son âme", reprit Hashi, mais je crois que sans consommer, on ne va pas vraiment jusqu'au bout de son acte.

– Oui.

– Tu as travaillé en cuisine… Et maintenant, tu veux fabriquer du chèvre. J'aimerais que tu sois plus hardi, que tu ailles au bout des choses, que tu prennes tes responsabilités. »

Une certaine tension semblait habiter Hashi. Ses épaules s'affaissèrent une fois sa phrase terminée. « Je suis fatigué », murmura-t-il. Il mit ses doigts sur ses yeux.

Ryôsuke contempla un moment son verre posé par terre et dit : « Moi aussi, j'ai quelque chose à vous dire. » Il lui raconta la découverte de la grotte dans la forêt primaire et ses réflexions sur le mot « cave » en français.

« Je pense qu'à l'origine, c'est le même mot que *cave* en anglais. Le fromage n'aurait-il pas été mis à affiner dans des sortes de grottes ? »

Hashi s'était tenu voûté, la tête basse. Mais la conversation avait soudain pris un tour nouveau. Comme Ryôsuke lorsque l'institutrice lui avait appris l'origine du mot « cave », il en était bouche bée.

« Oui, en effet… le roquefort est affiné dans des grottes. J'ai entendu dire qu'il était fabriqué ainsi depuis des centaines d'années. Que c'est justement parce qu'il mûrit dans ces grottes qu'une moisissure bleue spécifique se développe.

– Dans ce cas…

– Non, attends. »

Il vida son verre de *shôchû* d'un trait, comme s'il était pressé. Il roulait des yeux.

« Tout de même... Écoute-moi bien. Réfléchis une minute. Il paraît impossible d'obtenir le même résultat dans les grottes d'ici. Parce que si cela fonctionnait partout, on aurait pu fabriquer du bleu dans le monde entier.

– Quelqu'un a-t-il essayé ?

– Non. Mais... c'est absurde. »

Son expression démentait ses commentaires pessimistes. Ryôsuke se pencha en avant.

« Bien entendu, moi non plus je n'imagine pas trouver ici la même moisissure que celle du roquefort. Mais ici aussi, il y a des micro-organismes, n'est-ce pas ? Et puis, dans une grotte, l'affinage se ferait à un niveau constant de température et d'humidité. C'est important. De toute façon, il faut le tenter pour le savoir.

– C'est sûr que si on n'essaie pas... »

Hashi but une nouvelle gorgée de *shôchû* et se redressa.

« Le roquefort, ce n'est pas du lait de chèvre, mais de brebis. En plus, pour favoriser le développement des moisissures bleues à l'intérieur, on introduit les micro-organismes au moment où on chauffe le lait. En ce qui concerne notre fromage de chèvre... Il existe du chèvre recouvert d'une flore bleue, on appelle cela du persillé. C'est un pur régal, avec des moisissures bleues naturelles. Donc, en effet, si l'on essaie de fabriquer une sorte de persillé, cette grotte offre une possibilité...

– Qu'on ne peut pas considérer comme nulle. »

Ryôsuke avait enfoncé le clou. Hashi acquiesça.

« Mais pour tenter l'expérience, il va falloir gravir presque tous les jours le mont Aburi, observa-t-il. Pourquoi pas si tu t'occupes de tout, mais moi, je n'en ai plus la force.

– Hashi. Je ne pense pas qu'il faille nécessairement utiliser la grotte dans la montagne.

– Que veux-tu dire ?

– Je pense qu'elle communique avec la Caverne des vaincus.

– Comment ?… Attends !

– La caverne, on peut l'approcher par bateau. On va pêcher, et en même temps…

– Non, non ! » Hashi haussa le ton. « Là-bas, c'est hors limites. Je t'ai bien expliqué que c'était un lieu tabou sur l'île, n'est-ce pas ? L'endroit où l'on abandonnait les personnes âgées.

– Mais plus maintenant.

– C'est impossible. Hors de question ! » Hashi, redressé de toute sa hauteur, secouait la tête avec véhémence. « Fabriquer du fromage là-bas ! Nous serions maudits !

– Vous m'avez dit qu'il n'y avait du monde qu'une fois tous les dix ans.

– Oui, pour une cérémonie à la mémoire des disparus. C'est quelque chose de sérieux.

– Moi aussi, je suis sérieux.

– Non, non et non ! C'est… impossible. » Hashi dessina une croix de ses deux bras. « Si cela se savait, nous serions expulsés de l'île. Cette caverne joue un rôle central dans l'inconscient collectif ici.

– Il ne s'agit pas de souiller les lieux.

– Là n'est pas la question. Chaque famille, et même chaque individu a un lieu qu'il tient à préserver. Et pour ceux qui y ont grandi, c'est un endroit d'autant plus précieux. Imagine qu'un étranger, quelqu'un comme toi, y pénètre de force, cela cause forcément des problèmes, n'est-ce pas ? Pour qui prends-tu les gens de l'île ?

– Mais qui surveille cette grotte, à votre avis ? »

Ryôsuke était obstiné ce soir-là.

Hashi le dévisagea.

« Comment ça, qui ?

– Dites-moi, Hashi, qui surveille ? Si quelqu'un vient, eh bien, nous pêcherons comme d'habitude, c'est tout. Tant qu'il n'y a aucun autre bateau, c'est un angle mort, là-bas.

– Quoi qu'il en soit, c'est parce que tu n'y as jamais mis les pieds que tu proposes ça. Vas-y tout seul, et tu verras. C'est vraiment effrayant. Là où des gens ont été condamnés à mourir, il y a une atmosphère particulière. Et puis il y fait un noir d'encre au bout de vingt ou trente mètres. Il reste peut-être même des ossements quelque part. Et c'est là que tu veux mettre du fromage à affiner ? Ça ne va pas, non ? Non et non », répéta Hashi.

Sa stupéfaction semblait sans bornes, une sorte de rictus barrait par moments son visage. « N'importe quoi » ; « Mais quelle idée », marmonnait-il sans cesse.

« Vous avez peur, c'est ça ?

– Il ne s'agit même pas d'avoir peur. On a l'impression que c'est la porte des enfers.

– La porte des enfers ? répéta Ryôsuke. Ces gens ont

vécu de toutes leurs forces et on s'est débarrassé d'eux, parler d'enfer, ce n'est pas un peu fort, non ?

– C'est une image.

– Je ne vous crois pas.

– Mais c'est pas vrai…

– Essayons ! Ce sera sans doute unique au monde. »

Hashi baissa les yeux comme pour échapper au regard de Ryôsuke et se prit la tête à deux mains.

« Ce sera au prix de notre vie.

– J'ai tué Pûno moi-même. J'ai déjà pris une vie. »

Hashi saisit son verre et, comme désespéré, le vida d'un trait.

26

Le ciel était dégagé. Le front pluvieux semblait s'être passagèrement éloigné, laissant la mer relativement calme.

Ce jour-là, le bateau aborda le nord de l'île. Ils dérivaient parmi les brisants à la recherche de poissons de roche. Ils ne croisèrent personne, à part deux bateaux qui pêchaient à la traîne au large.

La mer était étale. C'était le moment où, l'eau ayant cessé de se retirer, les poissons renonçaient à chercher des proies. L'heure du déjeuner était proche. Presque tous les bateaux devaient déjà être de retour au port de Minamigasaki.

« On y va », annonça Hashi.

Il commença à manœuvrer. Comme la première fois qu'ils s'étaient approchés de la caverne, il louvoya avec adresse à travers les écueils. Sur le pont, Ryôsuke s'acharnait sur la pompe à pied pour gonfler le canot pneumatique.

« Hashi, ça existe encore, ce genre de pompe ?

– Cesse donc de te plaindre et dépêche-toi. »

Pour la cérémonie à la mémoire des morts, les bateaux

se rassemblaient dans ce secteur avec chacun une petite embarcation en remorque. Mais, s'ils en avaient fait autant, ils auraient éveillé les soupçons des autres pêcheurs dès leur départ. Une seule solution s'offrait à eux : le canot pneumatique qu'ils utilisaient pour capturer des langoustes et des poulpes parmi les récifs. Ils l'avaient plié et caché dans un coin du bateau pour quitter le port et avaient commencé à le gonfler une fois sur place. Pendant que Hashi pêchait des sébastes marbrés, Ryôsuke avait pompé sans relâche.

En manœuvrant prudemment, le bateau approcha et l'étrave fit face à la Caverne des vaincus. Les vagues venaient s'écraser sur les brisants alentour festonnés d'écume blanche.

« Ça devrait être bon maintenant. »

Hashi scruta du regard le large et la falaise. Ni bateau ni humain à l'horizon. Ryôsuke traîna le canot jusqu'à l'arrière du bateau et le jeta à l'eau, le bout de la corde dans la main. La houle l'éloignait, il le tira vers lui en descendant l'échelle.

« Attention à ne pas les faire tomber », dit Hashi.

Il avait accouru jusqu'à la poupe et tendait à Ryôsuke la pagaie et une petite glacière. À l'intérieur se trouvaient des caillés égouttés quelques jours plus tôt et plusieurs chèvres en cours d'affinage, saupoudrés de cendres de foin. Ils allaient les déposer au fond de la caverne, à un endroit où ils seraient à l'abri de l'atmosphère extérieure, et les surveiller régulièrement. Ce serait le travail de Ryôsuke.

« Reviens le plus vite possible. Mais si tu aperçois un

autre bateau, reste dans la caverne. Je reviendrai te chercher sans faute, même si je dois faire le tour de l'île. »

Ryôsuke acquiesça et commença à pagayer. La mer qui lui avait semblé calme s'avéra plutôt agitée dans la petite embarcation. Il faillit passer par-dessus bord avec la glacière. Malgré tout, à force de ramer, il parvint tant bien que mal à s'approcher du débarcadère en pierres.

La glacière en bandoulière et ses tennis aux pieds, il sauta dans l'eau qui lui arrivait jusqu'aux hanches. En prenant garde à ne pas se blesser les genoux et les mains sur des coquillages, il escalada les pierres empilées. Il tira sur la corde qu'il avait nouée à son bras pour rapprocher le canot et le hisser sur la grève. Il devait le cacher derrière un rocher. Si on l'apercevait depuis la mer, cela trahirait sa présence.

Il eut du mal à remonter le canot mouillé. À l'idée qu'il lui faudrait en passer par là presque tous les jours pour arriver à ses fins, sa détermination faillit faiblir. Mais pour l'instant, il n'avait pas le choix.

Il regarda la caverne bien en face. Aussitôt, il se sentit comme repoussé par une force.

Depuis les rochers autour du débarcadère jusqu'à l'entrée de la caverne, des centaines d'yeux l'observaient. Alignées en rangs serrés ou de travers, entassées sur la grève jonchée de cailloux, il découvrait une multitude de statuettes en pierre, toutes plus expressives les unes que les autres.

Non pas des bouddhas au visage raffiné, ciselé par un tailleur de pierre ; plutôt de simples pierres arrachées à la paroi et sculptées au burin par les gens de l'île. Ces statuettes, bien qu'émoussées par l'érosion, portaient sur Ryôsuke un regard qui semblait encore animé d'une volonté. Les passions qui avaient hanté ceux qui avaient trouvé la mort ici se dressaient devant lui, mêlées aux détritus charriés par les vagues.

Il avait beau savoir où il était, il eut l'impression de s'être égaré sur les rives du fleuve Sai, dans les limbes où errent les âmes des enfants morts en bas âge.

De l'autre côté, la caverne ouvrait sa bouche d'un noir d'encre. Il comprit enfin ce que voulait dire Hashi quand il avait évoqué la porte des enfers.

Des statuettes de bouddha s'alignaient à l'intérieur aussi, semblait-il. Il joignit instinctivement les mains en direction de la grotte et s'inclina devant tous ceux qui avaient été contraints de rendre leur dernier souffle ici.

Ryôsuke pénétra dans la caverne.

Au plafond se balançait une corde sacrée. Ses extrémités enroulées autour de rochers, elle barrait l'espace. Elle ne paraissait pas ancienne, mais des sacs en plastique et d'autres détritus imputrescibles s'y étaient accrochés.

Le sol montait en pente légère vers le fond. Il était recouvert de conglomérats qui, à chaque pas, se désagrégeaient sous ses pieds. Peut-être mieux protégées des intempéries, les statuettes encore debout étaient plus nombreuses ici que sur la grève. Mais elles n'occupaient pas le centre de la caverne, où le lit d'une rivière souterraine formait un ruban noir qui s'étirait vers le rivage. Il choisit de le longer, avançant avec prudence.

Un froid pesant l'avait accueilli et à chaque pas en avant, il sentait la température baisser. La pénombre se fit rapidement, l'obligeant à se guider à la lueur de sa lampe frontale. Le rond de lumière orangée aux contours flous révélait d'autres figurines. De temps à autre, une chauve-souris s'envolait. La petite bête le frôlait et filait à travers les ténèbres.

Au fur et à mesure qu'il gravissait la pente, la rumeur des vagues diminuait. Le nombre de statuettes aussi.

À environ cinquante ou soixante mètres de l'entrée, il éteignit sa lampe frontale.

Les ténèbres étaient oppressantes. Il sentit, dans l'obscurité, les regards fixés sur lui.

Il porta vivement la main à sa lampe et la ralluma.

« Calme-toi », se répéta-t-il, et il concentra ses sens sur l'infime souffle de vent. Il tendit l'oreille. Retint sa respiration. Ferma même les yeux, exprès.

Les ténèbres remuaient doucement, il le sentait.

La caverne communiquait-elle avec une autre grotte ? Celle de la forêt, peut-être ? Ou la cavité dans la Falaise des hommes de l'est ? Existait-il ici des moisissures bleues, comme à Roquefort ?

À la lueur de sa lampe, il balaya du regard les environs et faillit laisser échapper un cri.

Chose surprenante, un bateau se dressait au centre, juste à côté du lit de la rivière souterraine. C'était une embarcation toute simple, peinte d'une couleur claire. Un peu plus grande qu'une barque, elle était équipée d'un banc de nage. Plusieurs rames y étaient attachées avec de la corde.

Était-ce un bateau utilisé pour la cérémonie à la mémoire des morts ? Ou s'était-il échoué lors d'une tempête, poussé jusqu'ici par les vagues ? Ryôsuke s'interrogeait, lorsqu'il eut un éclair de génie.

Quelle que soit la raison de sa présence, c'était l'endroit idéal. Il aurait pu déposer les fromages n'importe où dans la caverne. Mais les rongeurs l'inquiétaient. S'il y avait des chauves-souris, sans doute y avait-il aussi des souris. Sur une surface plate, les fromages ne feraient pas long feu. Mais dans ce bateau ? Ses flancs incurvés avaient des allures de forteresse imprenable. Les rongeurs auraient sans doute du mal à y pénétrer. En plus, la proue était quasiment horizontale. Il n'aurait même pas besoin de bricoler un support pour y mettre les fromages à affiner.

Il ouvrit la glacière et en tira du papier aluminium, dont il recouvrit le banc de nage. Dessus, il aligna les caillés et les chèvres avec soin, un par un.

Il se releva et joignit les mains.

« Faites que de bonnes moisissures se développent. »

À qui s'adressait-il, lui-même l'ignorait. À chaque mouvement de sa tête, le rond de lumière dansait, faisant ressortir les visages des statuettes çà et là.

Quand il eut remonté Ryôsuke et le canot sur le pont, Hashi demanda à voix basse, bien qu'aucun bateau ne soit visible aux alentours : « Alors ? » Son visage trahissait sa nervosité.

Tout en dégonflant le canot, Ryôsuke lui raconta le nombre incalculable de statuettes *jizô* au milieu desquelles il s'était retrouvé et l'impression qu'il avait eue, comme Hashi l'en avait averti, d'être passé dans un autre monde.

« N'est-ce pas ? »

Hashi hocha la tête à plusieurs reprises, comme pour dire « je te l'avais bien dit ».

« Et alors, où as-tu déposé les chèvres ?

– Dans un bateau, au fond. »

Hashi, qui avait repris sa place au poste de pilotage et s'apprêtait à mettre le moteur en marche, se retourna.

« Quoi ? Tu les as mis dans le bateau, au fond ? »

Hashi regagna le pont, presque à quatre pattes, et éructa :

« C'est l'embarcation des morts !

– Des morts ?

– On y place les dépouilles.

– Les dépouilles ?

– Enfin non, c'est pour ramener les âmes à la mer.

– Les âmes ? »

Ryôsuke se releva.

« Mais, Hashi, vous ne m'aviez rien dit…

– J'aurais dû t'en parler. Jamais je n'aurais imaginé que tu mettrais le fromage là-dedans… »

L'air désespéré, Hashi retourna s'asseoir dans le poste de pilotage. Ryôsuke s'installa à ses côtés.

« Lors de la dernière cérémonie, nous nous sommes contentés de le repeindre, expliqua Hashi. En réalité, il est assez vieux. C'était la quatrième fois qu'on l'utilisait. Sa construction remonte donc au bas mot à une quarantaine d'années. C'est une sorte de corbillard, un bateau-corbillard, si tu veux. »

Dans le cadre du rituel, on l'appelait simplement le « bateau ». Lors des cérémonies, le prêtre shintô le mettait à l'eau pour apaiser le chagrin de ceux qui étaient morts dans la caverne et pour permettre à leurs mânes de retourner à la mer. Mais à l'époque où la coutume voulait qu'on abandonne les personnes âgées, il avait réellement servi à transporter leurs dépouilles, disait-on. Les hommes de l'île allaient alors régulièrement extraire les cadavres de la caverne.

« Le bateau les emmenait au large où, paraît-il, on les jetait à la mer.

– Et les tombes ? demanda Ryôsuke. Il y a bien un cimetière le long du sentier de montagne ?

– Il doit dater de l'époque où cette coutume a été abandonnée. Avant cela, il n'y avait pas de cimetière ici. Toutes les dépouilles étaient rendues à la mer. Et toi, c'est dans ce bateau que tu as déposé les fromages ! »

Hashi eut un rire abattu, comme s'il était à bout.

« La force de l'ignorance ! Il ne viendrait jamais à l'esprit des gens de l'île, pleins de révérence, de déposer de la nourriture à cet endroit. Si le pot aux roses est découvert, on nous chassera, cela ne fait aucun doute. On nous tuera peut-être même avant.

– Et on jettera nos corps à la mer depuis ce fameux corbillard ? »

Ryôsuke avait voulu faire un trait d'esprit, mais le rire de Hashi mourut sur ses lèvres.

« Ce n'est pas drôle.

– Ne vous en faites pas, Hashi. Il n'y a aucune raison qu'on se fasse prendre. »

27

Ryôsuke en était persuadé. Il n'y avait aucune raison qu'ils se fassent prendre. En étant prudents, ils s'en sortiraient. Hashi aussi le croyait. Au fil du temps, peut-être avaient-ils tous deux perdu de vue l'incongruité de leur conduite.

Aucune moisissure n'était encore apparue, mais Hashi affirmait que c'était normal. Des moisissures noires qui pullulaient immédiatement, comme sur les *mochi*, les gâteaux de riz pilé, n'étaient pas ce qu'ils recherchaient. Pour du bleu comme le roquefort ou le persillé, l'affinage prenait au moins un ou deux mois. Une flore tardive, qui dévoilerait enfin ses couleurs à ce moment-là, serait bon signe.

Hashi lui-même semblait placer un certain espoir dans ces expérimentations. Lorsque Ryôsuke quittait le bateau avec le canot pneumatique, il paraissait moins tendu qu'au début. Il pêchait désormais tranquillement en attendant son retour.

Mais cette routine finit par causer leur perte.

C'est un chalutier qui pêchait en haute mer qui s'inquiéta de leur manège.

La caverne était l'unique lieu tabou de l'île. S'il arrivait aux habitants de pêcher dans les environs, il n'était guère question de s'y attarder. Et pourtant, chaque fois que le chalutier passait devant, le même bateau se trouvait au même endroit. C'est bizarre, se disait un des membres de l'homme d'équipage. De plus, à première vue, il s'agissait du bateau de Hashi, avec Ryôsuke à bord. Il y avait anguille sous roche ; il les eut à l'œil dès la deuxième fois qu'il les aperçut.

Cet homme, c'était Mutsu.

Son épaule démise était guérie, mais comme il avait été temporairement incapable de piloter son propre bateau, il s'était fait embaucher comme membre d'équipage sur celui d'une de ses connaissances. Ce qu'il n'aurait pas eu à faire s'il n'avait pas été blessé. Il en conservait du ressentiment et restait suspicieux envers Ryôsuke et ses compagnons.

Ce jour-là encore, Mutsu repéra le bateau de Hashi devant la caverne. Il ordonna à ses collègues de continuer leur course. Puis, une fois l'île contournée, il fit arrêter le chalutier juste en bas de la falaise. Depuis la poupe, il entama sa surveillance aux jumelles.

Ni Hashi ni Ryôsuke n'avaient conscience d'être observés. Ils louvoyaient parmi les brisants, ce qui requérait de manœuvrer avec précision pour éviter les écueils. Même Hashi ne repéra pas le chalutier tapi au loin.

Mais on les regardait. Mettre le canot pneumatique à l'eau. Accoster.

« Il a rejoint le rivage, tu veux dire, près de la caverne ?

– Exactement, sans le moindre doute », fit Mutsu.

Les hommes d'équipage se rembrunirent. Ces types venus de métropole commencent à dépasser les bornes, pensaient-ils. Cet endroit, personne n'en approchait sans être accompagné d'un prêtre shintô.

Mutsu restait rivé à ses jumelles. Au bout d'un moment, il vit nettement Ryôsuke émerger de la caverne. Avec sa glacière en bandoulière.

« Ça ne va pas du tout », déclara-t-il.

De retour au port, il se rendit aussitôt chez le Président, à qui il raconta sans ambages ce dont il avait été témoin.

« Je suis certain qu'ils volent des choses dans la caverne », ajouta-t-il.

Le Président croisa les bras et ferma les yeux.

Ce soir-là, alors que Ryôsuke et Hashi se préparaient un verre de *shôchû*, plusieurs villageois vinrent en camionnette leur annoncer qu'ils étaient attendus dans l'heure à la salle communale, pour parler des secteurs de pêche. « Pourquoi maintenant ? » demanda Hashi, mais ils se bornèrent à leur répéter de se préparer.

« Ne pas y aller serait une mauvaise idée ? » demanda-t-il.

L'un des hommes se pencha vers lui.

« Si vous ne venez pas, tout le monde débarquera ici. »

Hashi hocha la tête. « D'accord. »

Après leur départ, il continua à disposer des verres et des assiettes sur la table de jardin. Un petit sébaste qu'il n'avait pas vendu était prêt, mijoté à la sauce aigre-douce. Il se mit à boire du *shôchû* en le dégustant.

« Vous croyez que c'est prudent de boire ? remarqua

Ryôsuke qui, habité d'un mauvais pressentiment, prit place à table.

– Sans doute avons-nous commis une erreur... », répondit Hashi.

Impassible, il découpait la chair du poisson.

« On s'est fait prendre ?

– Oui, sans doute. »

Il remplit le verre de Ryôsuke.

« Tu ferais bien de boire un peu. Pour te donner du courage avant la bataille.

– Même si je n'ai pas l'intention de me battre ? »

Comme Ryôsuke ne buvait pas, Hashi choqua son verre contre le sien et dit « Santé ».

« Le simple fait de pénétrer dans cette caverne revient à insulter les habitants d'ici. Qu'on ait l'intention de se battre ou non, c'est nous qui les avons provoqués. »

Il s'exprimait posément. Ryôsuke, lui, cherchait ses mots : « Mais... comment faire...

– Eh bien, on va y aller et tout avouer, dit Hashi. Nous ne leur avons jamais parlé de nos tentatives de fabriquer du chèvre. Nous allons leur expliquer. Sans doute n'en sortirons-nous pas indemnes, mais ce sera toujours mieux que de louvoyer et de raconter une histoire qui ne tient pas debout. Mieux vaut se faire chasser en ayant dit la vérité que pour de mauvaises raisons. »

Il semblait résigné. C'était un autre homme que le Hashi qui avait craint de s'aventurer dans la caverne.

Ryôsuke saisit son verre et le vida d'un trait.

Presque tous les hommes de l'île, hormis les plus âgés, étaient rassemblés dans la salle communale. Lorsque

Ryôsuke et Hashi arrivèrent, la quarantaine ou cinquantaine de chaises pliantes étaient toutes occupées.

Le Président se tenait à l'entrée de la salle. Ils le saluèrent, et il leur adressa en retour un signe de tête silencieux avant de leur désigner deux chaises au centre. Ils seraient entourés par les villageois.

Tout en saluant les uns et les autres, ils se frayèrent un chemin dans l'assistance. Les voix qui avaient porté jusqu'au dehors de la salle s'étaient soudain tues. Ils étaient sous le feu des regards et du silence.

Le Président interpella Mutsu :

« Pour commencer, pourrais-tu nous dire ce que tu as vu ? »

D'un geste, il lui fit signe de se lever.

Mutsu semblait avoir bu du *shôchû*, à l'instar de Ryôsuke et Hashi, car il avait le teint bistre, différent de la peau tannée des autres hommes. Apparemment peu à l'aise en public, il se mit à parler d'une petite voix, la gorge serrée. Le Président remarqua : « On ne t'entend pas. » D'un ton monocorde, il se mit à brailler ce qu'il avait vu depuis le chalutier : Ryôsuke qui allait et venait dans la Caverne des vaincus, Hashi qui lui prêtait main-forte.

Pas un raclement de gorge ne s'élevait de l'assemblée. Ils le savaient déjà, pensa Ryôsuke.

« Messieurs Hashida et Kikuchi, est-ce la vérité ? » interrogea le Président après avoir fait rasseoir Mutsu.

On aurait dit qu'il présidait un tribunal. Mutsu fixait Ryôsuke avec la tête d'une murène prête à attaquer. Un œil sur lui, ils se levèrent. Ryôsuke répondit « Oui » tandis que Hashi hochait la tête.

« Quelles sont vos raisons ? C'est un lieu interdit, comme le savent bien les habitants de l'île, n'est-ce pas, monsieur Hashida ? »

Hashi prit calmement la parole :

« J'imagine bien que présenter nos excuses maintenant ne changera rien, mais nous reconnaissons pleinement nos torts involontaires.

– Y a rien d'involontaire, vous l'avez fait exprès. C'est une infraction à la loi ! » hurla soudain Mutsu.

Le Président l'arrêta d'un geste.

Hashi s'inclina. Ryôsuke aussi.

« Nous sommes désolés.

– Qu'allez-vous faire là-bas ? Il y a quelque chose qui vaut de l'argent ? demanda le Président, soupçonneux.

– Non, répondit Hashi. À vrai dire, nous avons entrepris une petite expérience pour voir s'il était possible d'affiner du fromage dans la caverne.

– Du fromage ? »

Un murmure parcourut la foule.

« Nous allons nous expliquer… C'est Ryôsuke Kikuchi qui va s'en charger. »

Hashi lui donna une tape sur l'épaule. Ryôsuke s'inclina une nouvelle fois devant l'assistance.

« Euh… Je suis venu ici pour les travaux de construction du nouveau réservoir. Si, une fois les travaux achevés, je ne suis pas reparti en métropole, c'est pour…

– Pour l'instit à la cuisse légère », murmura quelqu'un. Deux ou trois hommes pouffèrent.

Sans ciller, Ryôsuke continua en choisissant ses mots avec précaution.

Il expliqua que parmi les chèvres sauvages de l'île,

certaines descendaient d'une race laitière. Qu'en plus d'être consommées pour leur chair, elles pouvaient servir à produire du yaourt et du fromage. Qu'en cas de réussite, l'île y gagnerait une spécialité locale. Que dans cette optique, il était en train de mener des expériences d'affinage à partir du lait de Hanayo. Et enfin que, dans la caverne, on découvrirait peut-être un nouveau type de moisissure.

Il parvint non sans mal à s'expliquer jusque-là. La majorité des hommes affichait une mine renfrognée, mais certains poussaient des exclamations, comme si cela avait piqué leur curiosité.

« Concernant l'affaire qui nous occupe, Hashi a tenté de m'arrêter. Je savais à quel point la caverne est un lieu important pour vous tous. Mais je tenais vraiment à y mener mon expérience. C'est moi seul qui ai décidé de continuer. Je suis désolé d'avoir heurté vos sentiments. »

Il s'inclina et se rassit.

« Voilà donc de quoi il retourne ? s'enquit le Président en regardant Hashi, pour s'assurer de la véracité du propos.

– Oui, c'est ça », répondit Hashi.

Les yeux au plafond, le Président poussa un gros soupir.

« Qu'en pensez-vous, vous tous ? » demanda-t-il en tournant les yeux vers l'assemblée.

Les hommes échangeaient des regards, la mine sombre. Seul Mutsu s'écria haut et fort : « Il faut le chasser ! » Avec un temps de retard, ses acolytes lui firent écho : « Dehors ! »

Le Président les laissa faire un moment, avant de s'adresser à Hashi :

« Monsieur Hashida, pensez-vous arriver à obtenir un bon fromage ?

– Il est trop tôt pour se prononcer, répondit Hashi avec franchise.

– D'accord… Écoute-moi bien, Kikuchi. »

Ryôsuke se redressa.

« Quand tu t'es mis à parler de fromage, j'ai été bien embarrassé. Parce que ce dans quoi tu t'es lancé, M. Hashida ici présent l'a déjà tenté, et il a échoué sur toute la ligne. Je lui avais donc demandé de te dissuader, pour que tu repartes en métropole. Mais voilà qu'il s'est pris au jeu… Comme je vous l'ai expliqué l'autre jour, si vous arrivez à fabriquer du bon fromage, je suis prêt à vous aider, mais, comment dire, objectivement, vos agissements me paraissent étranges. Pourquoi diable… Hashida, vous perdez la boule ou quoi ?

– Lui aussi, dehors ! » cria Mutsu.

Le Président lui lança un œil noir et se racla la gorge.

« Kikuchi, toi, tu n'es pas fait pour l'île, c'est clair. Tu n'essaies pas de nous comprendre. Par exemple, depuis tout à l'heure, tu nous parles de chèvres sauvages, mais ça n'existe pas. Ces pinzas sont élevées ici pour être chassées et mangées. On les laisse exprès retourner à l'état sauvage. C'est comme une réserve, si tu veux. Parce que nous, on mange les chèvres. Et vous, vous débarquez ici et vous venez vous en mêler. Du fromage ? Peuh ! Je peux vivre sans fromage. Et historiquement, c'est pareil en métropole. Tu crois qu'il y en avait, du fromage, à l'époque d'Edo ? Ieyasu Tokugawa mangeait-il du fromage ? »

Quelques hommes applaudirent.

« Nos ancêtres ont consacré plusieurs centaines d'années à rendre cette île habitable. Et ils en ont sans doute vu de toutes les couleurs. Mais à force, ils ont fini par déterminer ce qu'on pouvait chasser et comment le consommer. C'est crucial. Si vous voulez fabriquer une spécialité locale, il faut rester sur ces rails. Pour être franc, on n'en veut pas de votre fromage. Nous, les chèvres, on les mange. C'est ça, la culture gastronomique de l'île d'Aburi. Et vous tentez de remettre en cause cette tradition. Bien entendu, si vous fabriquiez quelque chose de vraiment surprenant, on y réfléchirait à deux fois. Bref, vous pouvez continuer encore un peu, mais si ça capote, on oublie. On continuera à vivre de la viande de chèvre et de la pêche, comme jusqu'à présent. Notre spécialité locale, c'est sur cette base que vous l'imaginerez. Ça vous convient ? Dans l'affirmative, je ne serai pas mauvais bougre, je ne vous chasserai pas. Efforcez-vous de vous mettre à notre place. C'est d'ailleurs ce que je vous demande depuis le début, monsieur Hashida. »

Environ la moitié des hommes manifestèrent leur approbation.

« Kikuchi, si tu tiens absolument à faire du fromage, tu n'as qu'à partir à Aigaki. Là-bas, il y a encore les maisons et les chèvres des gens qui ont quitté l'île. Si tu faisais comme tu l'entends, dans ton coin ? »

L'assistance éclata de rire.

« À propos de culture gastronomique…, commença Ryôsuke.

– Ne réponds pas », lui souffla Hashi. Mais il poursuivit :

« Je pense que vous avez raison. Je suis convaincu que vous et vos ancêtres avez tous consenti d'énormes efforts. Et nous devons notre survie au sacrifice de tout un tas d'êtres vivants. Notre alimentation actuelle se situe d'ailleurs, me semble-t-il, dans le prolongement de ces expérimentations répétées. Mais alors, permettez-moi de retourner le problème : aujourd'hui, qu'est-ce qui justifie de manger les chèvres ?

– La tradition. »

Les épais sourcils du Président étaient montés d'un cran.

« Manger les chèvres, c'est afficher notre fierté pour cette île.

– Mais alors, pourquoi ne pas les manger et aussi fabriquer du fromage ?

– Mais tu vas la fermer, oui ! »

C'était Mutsu. Il se leva.

« Président, pourquoi vous le laissez déblatérer ? On aurait plus vite fait d'appeler la police. C'est lui qui a traficoté ma vache. Faisons venir la police par le prochain ferry. En attendant, on n'a qu'à le garder ligoté ici. »

Cette proposition déclencha tout de même quelques protestations. Mais Mutsu n'abandonna pas. Au contraire, il s'avança jusqu'aux premiers rangs.

« On va les ligoter tous les deux. Remettez-les-moi.

– Arrête ! » intervint le Président.

Mais Mutsu fit la sourde oreille. Il se fraya un passage avec violence et saisit Ryôsuke par la chemise.

« Hein, c'est toi le coupable ! »

Ryôsuke le regarda droit dans les yeux. Hashi s'interposa. Mutsu le repoussa. Les esprits s'échauffèrent.

« Bah alors, attendez... C'est pas lui ! »

C'était Toshio qui, soudain, avait haussé le ton.

Tout le monde parut surpris de l'air farouche de celui qui était toujours jovial. Pour couronner le tout, il fondit brusquement en larmes. « C'est pas lui, c'est pas lui ! répétait-il en martelant la poitrine de Mutsu.

– Qui est-ce, alors ? » gronda Mutsu.

Toshio, qui s'était mis à trembler comme une feuille, se mordit la lèvre inférieure. Il regardait tour à tour Mutsu, le Président et les hommes de l'assistance. Et soudain, il désigna l'un d'eux du doigt.

« Bah alors, avant d'aller chez M. Hashida avec Mlle Yoshikado, je faisais ma tournée, et bah alors... je l'ai vu ! »

Le contremaître, assis tout au bout d'une rangée, se leva comme s'il avait le feu aux fesses.

« Toshio ! cria-t-il, un sourire forcé aux lèvres. Mais qu'est-ce que tu racontes ? »

En un clin d'œil, le sourire s'effaça de son visage. Le dos rond, il déglutit bruyamment. Pâle comme un linge, il ne bougeait plus, comme pétrifié.

« Ne me dis pas que..., commença le Président. C'est encore toi ? »

Le contremaître se mit à pleurer à chaudes larmes, comme si une digue avait cédé.

« Ben si, parce que lui... » Il désignait Mutsu du doigt.

« Pendant les travaux, il n'a rien fait, et puis il a gâché le banquet. Il m'a frappé, et à cause de lui, j'ai renversé le ragoût de chèvre. Je me suis brûlé mais il ne s'est même pas excusé.

– Comme ça, c'est toi le coupable ? répéta le Président.

– Oui, c'est moi ! Oui ! »

Les hommes qui s'étaient levés se rassirent avec un gros soupir, les yeux rivés sur le contremaître. Lui pleurait à gros sanglots, assis sur une chaise, les mains sur les genoux.

« Pardon. Je suis désolé. Je suis vraiment désolé. Pardon. Mais il m'a frappé. J'ai eu tort pour la vache. Mais il prend toujours les gens pour des moins que rien. Hein, Mutsu ! Mais oui, c'est moi le coupable. Je suis désolé. Pardonnez-moi, je vous en prie. »

C'était une drôle de façon de craquer. Il s'excusait, et la seconde suivante il se mettait en colère. Comme atteint d'un dédoublement de la personnalité, il changeait sans cesse d'expression.

Pour finir, il se leva brusquement et s'enfuit en renversant les chaises sur son passage.

Personne ne le poursuivit. Comme contaminé par les sanglots bizarres du contremaître, Toshio pleurait lui aussi, roulé en boule dans un coin.

« Désolé ! » fit Mutsu en assenant à Ryôsuke une bourrade suffisamment forte pour le renverser. Puis il quitta les lieux, suivi de ses acolytes.

Au bout d'un moment, les hommes se mirent à discuter. La salle bruissait du brouhaha des conversations. Plus personne ne se préoccupait ni de Ryôsuke ni de

Hashi. On entendait dire ici et là, « Pourvu qu'il ne se tue pas ».

« Mais non, il ne se tuera pas », affirma le Président.

Un sourcil relevé, il croisa les bras.

« C'est toujours la même histoire. Il partira sans doute par le prochain ferry. S'il vous plaît, laissez-le en paix cette fois encore, ne lui dites rien. »

Ils acquiescèrent presque tous.

« Pour ce qui est de ton cas, Kikuchi. Ton intrusion dans la caverne n'est pas le genre d'affaire qui se règle devant la police. Ce n'est pas une question de lois, mais de coutumes. » Il regarda Ryôsuke en face. « Il n'empêche que c'est déplaisant. Je passe l'éponge pour cette fois-ci, mais n'y remets jamais les pieds. Et écoute-moi bien : j'ai dans l'idée que tant que tu seras là, tu nous causeras des problèmes. Le mieux serait que tu partes par le prochain ferry, avec mon neveu. Sois un peu plus malin, pense à ton avenir. Quant à vous, monsieur Hashida, lors de la prochaine cérémonie à la mémoire des morts, vous nettoierez la caverne. Ce sera votre peine. Ça ira bien comme ça. Tout le monde est d'accord ? »

Ryôsuke et Hashi étaient raides comme des piquets, Toshio pleurait toujours ; à part eux, les hommes exprimèrent leur assentiment à l'unisson et applaudirent, allez savoir pourquoi.

28

La saison des pluies était de retour. Le mont Aburi était couronné de nuages en permanence et, les jours de fortes pluies, les chemins du village se transformaient en ruisseaux. Grimper jusqu'à la forêt primaire devenait compliqué.

La houle avait également forci. De hautes vagues s'écrasaient avec des gerbes d'écume sur les brisants. Hashi évitait alors de pêcher le poisson de roche au milieu des écueils. Malgré tout, ils sortaient en mer presque tous les jours.

Le matin où accosta le ferry, ils aidèrent à décharger les colis. Les hommes ne firent aucune réflexion sur la présence de Ryôsuke.

Le contremaître semblait avoir filé à l'anglaise, avec l'aide d'un pêcheur de sa famille. Mais il finirait par revenir, murmurait-on. Puisque Ryôsuke et ses compagnons n'avaient pas donné satisfaction, le Président le rappellerait pour une mission ou une autre. Et alors, comme si de rien n'était, il reviendrait accompagné de nouveaux jeunes gens.

« Il a beau avoir quitté l'île, il est d'ici. Il faut se serrer les coudes. » Voilà ce qu'avait dit l'un des hommes à Ryôsuke, sur l'embarcadère pluvieux. Ce qui signifie, songea celui-ci, que si on n'a pas grandi ici, jamais on n'obtiendra d'aide.

Le moment n'était-il pas venu pour lui, sans même y être invité par le Président, de quitter l'île ? Il y pensait parfois, tout en travaillant d'arrache-pied.

Mais avant, il devait donner à Hashi ce qu'il était venu lui remettre. Il devait lui parler aussi. Il repensa au paquet rangé au fond de son sac à dos.

Un soir où il sentait nettement le désespoir commencer à l'envahir, Mlle Yoshikado fit son apparition, une bouteille de *shôchû* au sucre roux à la main. La pluie qui tombait dru les empêchant de s'installer à la table de jardin, tous trois s'assirent sur la marche du vestibule près de la porte-fenêtre où ils partagèrent la bouteille, les yeux sur Tsuyoshi et Hanayo de l'autre côté du rideau de pluie.

« Quand il pleut sans arrêt, comment font les chèvres dans la forêt ? demanda l'institutrice.

– Ça fait un moment que je ne suis pas monté les voir », répondit Ryôsuke.

Devant Hashi, Mlle Yoshikado faisait semblant de ne pas connaître la forêt primaire. Ryôsuke, qui n'y était pas retourné ces derniers jours, n'avait pas grand-chose à raconter.

Il en allait de même au sujet du fromage. Depuis qu'ils avaient été mis en accusation dans la salle communale, il s'en occupait seul. Pour l'affinage, il était revenu à la méthode première, c'est-à-dire sans hâloir. Il n'avait d'autre choix que de laisser le fromage exposé à l'humidité et à la chaleur. Il bataillait contre les moisissures indésirables et les températures élevées.

« Chaque fois que des moisissures noires apparaissent, je les ôte avec un tissu imprégné de saké, expliqua-t-il en mimant le geste. Il paraît qu'il existe des fromages affinés ainsi. »

L'institutrice remarqua, l'air désolé :

« Je crois que presque personne ne sait que le fromage, c'est si difficile à produire. »

« Les gens l'ignorent, en effet, dit Hashi. Ils pensent qu'il suffit de livrer du lait à l'usine et qu'après ça se fait tout seul. Du coup, ils n'y voient rien d'extraordinaire. Bref, si tu veux rester sur l'île, Ryôsuke, tu ferais mieux de t'atteler à autre chose qu'au fromage de chèvre. Si on était en France, à la campagne, ce serait différent, mais là, difficile de lutter contre l'adversité. C'est comme de vouloir ouvrir un restaurant de pot-au-feu sous les tropiques.

– Moi, je mangerais bien du pot-au-feu », remarqua Mlle Yoshikado en riant.

Ryôsuke se contenta de hausser les épaules.

« Mais pourquoi tenez-vous tellement à faire du fromage ? » demanda-t-elle.

À bien y réfléchir, il ne lui avait jamais vraiment expliqué sa motivation. Après un silence, il se résolut à dire la vérité :

« C'était, paraît-il, le rêve de mon père aujourd'hui décédé. »

Hashi se leva pour aller à la cuisine. On entendit la porte du réfrigérateur s'ouvrir.

« Vous avez donc perdu votre père ?
– Oui.
– Alors, dans votre enfance, vous étiez entouré de fromages ?
– Je ne m'en souviens pas très bien.
– Votre mère se porte bien ? »
Je ne lui ai vraiment rien dit, songea-t-il.
Dans la cuisine, Hashi s'était mis à faire rissoler quelque chose. Sous couvert des bruits de friture, Ryôsuke chuchota :
« Ma mère aussi est décédée. »
L'institutrice regrettait sa question, cela se lisait sur son visage. « Pardon », murmura-t-elle. Il lui sourit.
« Je vous en prie. Je n'ai ni frère ni sœur, ni personne d'autre. Je suis libre comme l'air, en quelque sorte. C'est aussi parce que personne ne m'attend que j'ai pu me lancer dans cette aventure…
– Ah bon. Je n'en savais rien.
– Forcément, puisque je ne vous avais rien dit. »
La conversation s'éteignit.
Hanayo poussa un bêlement aigu.
En un tournemain, Hashi avait concocté un plat qu'il présenta sur une assiette. Le regard de l'institutrice était posé sur la poitrine de Ryôsuke, mais en entendant Hashi revenir, elle détourna les yeux.
« Tenez. Un sauté de papaye verte », annonça Hashi.
Un nuage de vapeur d'eau montait du plat.
« On en trouve déjà ? s'étonna Mlle Yoshikado.
– Des gars qui pêchaient près d'Aigaki en ont profité pour faire un tour sur l'île et en rapporter. »
En dépit de son expérience de cuisinier, c'était la

première fois que Ryôsuke rencontrait cette saveur. La papaye rôtie était ferme. Elle avait ce goût propre aux premiers fruits de saison, une saveur pas trop prononcée, mais pleine et solide, qui se déployait sur son palais.

D'après Hashi, il restait des vergers dans les ruines du village sur l'île d'Aigaki, beaucoup de papayers, bananiers et manguiers autrefois plantés par les habitants. Presque personne n'y allait et, chaque année, les fruits tombés des arbres restaient à pourrir.

« Nous allons donc en cueillir plusieurs fois par an, pour qu'ils ne se perdent pas », expliqua-t-il.

Le sauté de papaye se mariait très bien avec le *shôchû* au sucre roux. Après quelques verres, Ryôsuke commença à se sentir mieux. La conversation s'orienta sur Aigaki, simple silhouette sur l'eau pour lui.

« En plus des papayes, il y a aussi des chèvres, n'est-ce pas ? » demanda-t-il.

Il n'avait pas oublié la pique que lui avait lancée le Président dans la salle communale.

« Oui, répondit Hashi. Parce qu'à l'origine, là-bas aussi, ils élevaient des chèvres.

– Des laitières ?

– Bien sûr. Mais sans doute que, comme ici, elles se sont reproduites avec les chèvres sauvages déjà sur place.

– Il y en a combien, en gros ?

– Pas mal. Assez pour qu'on les remarque sur le flanc de la montagne quand on s'approche en bateau. Elles ont même tellement proliféré que les prairies sont nues. Quand il y a trop de chèvres, seuls les arbres survivent.

– Je vois, c'est pour ça...

– On vous a dit quelque chose ? » s'enquit l'institutrice.

Si elle avait soigneusement évité le sujet de l'accusation de Ryôsuke et Hashi, elle était bien entendu au courant. On aurait même dit que, ce soir-là, elle était venue pour leur remonter le moral.

« Il s'est entendu dire que s'il voulait faire du fromage, il n'avait qu'à s'installer à Aigaki, répondit Hashi.

– Le Président est un visionnaire », lâcha Ryôsuke en souriant.

Hashi et l'institutrice se rembrunirent.

« Ça vaut une condamnation à mort, tu sais. »

Mlle Yoshikado abonda dans son sens :

« C'est vrai. C'est parce qu'il est impossible d'y vivre que l'île a été abandonnée.

– Vraiment ? Pourquoi ? »

Hashi posa son verre.

« Eh bien, il n'y a pas de raison clairement identifiée, mais... jamais personne n'a réussi à s'y installer durablement. On ignore pourquoi, mais les faits parlent d'eux-mêmes. Aburi a beau être une petite île, en se serrant les coudes, on arrive à y vivre. Voilà pourquoi, aujourd'hui encore, l'île est habitée. Une île déserte, même investie par des colons, le redevient en général. Les dieux refuseraient-ils ces endroits aux hommes ?

– Il y a aussi le problème de la taille minimale de viabilité pour la survie d'une population », renchérit l'institutrice.

Sa formulation était alambiquée.

« Prenons l'exemple du tigre, dont on craint la disparition : on dit que ces animaux solitaires, lorsque leur population tombe en dessous d'un certain nombre d'individus, sont très rapidement frappés d'extinction. C'est encore plus vrai pour l'homme qui vit en tribu : il faut au moins cent ou deux cents individus pour assurer la survie de l'espèce dans un endroit. Parce que l'homme est un être social. C'est-à-dire que hors de la société, il tend à disparaître. Sur cette île, à la fin, il restait quoi, cinq foyers, c'est cela ?

– Oui, en gros », répondit Hashi, et il ajouta : « Il y avait même une école primaire-collège, mais, vu le nombre d'habitants, il était inévitable qu'ils abandonnent l'île. Même ici, avec seulement cinq foyers…

– Le ferry ne viendrait plus, compléta l'institutrice. On ne pourrait compter que sur les chèvres pour s'alimenter. Il n'y aurait aucun divertissement. Si on se disputait avec son voisin, on serait condamné à le voir tous les jours quand même… C'est vraiment dur, la vie sur une petite île.

– Mais ici aussi, c'est dur, non ? » demanda Ryôsuke.

Hashi et l'institutrice secouèrent la tête d'un même élan.

« Voilà bien pourquoi, quand le Président t'a dit ça, j'ai pensé, pourvu que cela ne lui donne pas de drôles d'idées, dit Hashi.

– Ce serait peut-être viable si une centaine de colons s'y installaient d'un coup », ajouta Mlle Yoshikado.

L'idée commençait à les inquiéter. Ryôsuke insista :

« Quand même, juste pour être sûr… il y a des grottes à Aigaki ? »

Hashi fit la grimace. L'institutrice agita une main

devant son visage en disant : « Arrêtez, je vous en supplie.

– C'est juste une question. »

Hashi croisa les bras.

« À vrai dire, il y a des grottes sur presque toutes les îles de cet archipel. Je n'ai pas de connaissances géologiques, mais il paraît que partout, des anfractuosités ont servi de bunker pendant la guerre. Je ne vois pas pourquoi Aigaki serait différente. Il doit bien y avoir des cavités, il suffit de les trouver. Mais, Ryôsuke...

– Oui ?

– Je ne te conseille pas d'y aller.

– Bien sûr, je n'ai pas l'intention de jouer les Robinson Crusoé.

– Tant mieux, parce que la famille qui est restée là-bas jusqu'à la fin...

– Non, pas cette histoire, murmura Mlle Yoshikado.

– Ils ont brusquement disparu. Soit ils sont partis durant la nuit, soit... »

Ryôsuke ferma les yeux.

« Vivre ici est difficile, reprit Hashi, mais ce n'est pas le plus important. Je crois qu'un être humain finit par renoncer quand il est exclu de la société. Quand la solitude est insoutenable. Moi, j'étais seul ici, mais j'avais des gens avec qui prendre un verre, et du travail une fois par semaine à l'embarcadère. Sinon... rien que d'y penser, cela me fait froid dans le dos. Je crois que personne ne peut supporter la solitude et l'isolement.

– Tout à fait, renchérit l'institutrice. Alors, Ryôsuke, si jamais cette idée vous a ne serait-ce qu'effleuré l'esprit, abandonnez-la, s'il vous plaît.

– C'est-à-dire… ? » balbutia-t-il.

Elle poursuivit : « Moi, je crois que si c'est sur cette île que vous est venue l'idée de fabriquer du fromage de chèvre, c'est déjà un excellent résultat. Parce que des révélations qui bouleversent notre existence, on n'en a pas tous les jours. Puisque vous avez eu cette chance, il me semble que vous devriez désormais vous lancer dans la fabrication de fromages ailleurs. Vous pourriez peaufiner votre projet en métropole ou même aller en France. Maintenant que vous avez les bases, vous n'avez qu'à approfondir la technique.

– Exactement ! » fit Hashi avec un regard appuyé.

Il posa son verre et se mit à applaudir.

Ryôsuke, lui, hocha la tête sans conviction. Comme pour fuir leurs regards, il tourna les yeux vers Tsuyoshi et Hanayo dans leur étable. Il crut discerner, entre eux, l'ombre pâle de Pûno.

Il raccompagna l'institutrice. À l'abri sous un parapluie, ils avançaient côte à côte sur le sentier. Elle parlait peu, mais elle annonça :

« À la fin de l'année scolaire, je démissionnerai peut-être. »

Il ne parvint pas à lui en demander la raison. Sans trop savoir pourquoi, il garda le silence.

« Si rien ne change, vous aussi, vous allez quitter l'île, n'est-ce pas ? reprit-elle.

– Je ne sais pas. »

C'était la vérité. Au départ, il était venu ici à la recherche de Hashi, pour le rencontrer et lui remettre un paquet. Mais le rêve de son défunt père était en train de devenir le sien. C'est parce qu'il s'y attachait qu'il se heurtait à de si grandes difficultés. Il sentait aussi qu'entre l'île et lui se tissait un réseau complexe de liens, pareil aux racines des banians : la rencontre avec Buchi sur la falaise, les chèvres qui l'avaient entouré dans la forêt, les jours passés en compagnie de Tachikawa et Kaoru, sa rencontre avec Mlle Yoshikado. Les frictions n'avaient pas manqué, mais il se sentait protégé par l'île, il avait même l'impression qu'elle le guidait. En d'autres termes, il avait peur de la quitter pour retourner à Tokyo.

« Je ne suis pas encore arrivé à déterminer quel était le meilleur choix. »

À ses côtés, Mlle Yoshikado lui fit écho :

« Le meilleur choix ? Je ne pensais pas entendre ce mot dans votre bouche.

– Vraiment ?

– Oui, parce qu'il me semblait que vous avanciez sans jamais juger du meilleur ou du pire.

– Oui, en un sens... »

Il eut un rire embarrassé.

« Je n'ai pas l'impression d'avancer. Plutôt d'être toujours perdu.

– C'est pareil pour moi », murmura-t-elle, puis elle se tut. Soudain, elle écarta son parapluie et, le visage offert à la pluie, regarda Ryôsuke.

« Je ne sais pas quoi décider. Tout est compliqué. Rester sur l'île, la quitter, les deux sont durs.

– Oui. »

Incapables l'un comme l'autre d'entrer dans le vif du sujet, ils arrivèrent au bout du sentier. Ils longèrent l'école et pénétrèrent dans le village. Côte à côte, ils approchaient de chez elle.

Quelqu'un était là.

Un peu à l'écart de la lumière d'un réverbère, sous un parapluie, se tenait un jeune homme.

Ils réalisèrent immédiatement que c'était Hisao, le fils du Président. Lui aussi les remarqua tout de suite. Il les regarda, raide comme un piquet, et ses traits se déformèrent. Son parapluie à la main, il partit en courant.

« Hisao ! » cria l'institutrice.

Mais il continua à courir, sans s'arrêter. En un clin d'œil, il s'était fondu dans les ténèbres.

Visiblement troublée, elle se mordit les lèvres en regardant dans la direction où il avait disparu.

« Il est...

– Non. »

Elle secoua la tête à plusieurs reprises et murmura : « Ce sont des sentiments d'adolescent. » Son parapluie penché l'exposait à la pluie.

« Pardon. »

Elle semblait avoir repris ses esprits. Ryôsuke lui souhaita bonne nuit ; ses prunelles plus humides que la pluie nocturne s'éclairèrent d'un sourire.

29

La saison des pluies s'acheva.

À la moiteur sans bornes succéda une chaleur torride.

Les rayons du soleil étaient brûlants. Le jour, la lumière était exubérante. Ryôsuke qui s'apprêtait à partir pêcher en chemisette se fit réprimander par Hashi :

« Si tu sors en mer habillé comme ça en plein été, tu vas cramer. »

Son avertissement n'avait rien d'exagéré. Des manches longues le protégeraient suffisamment, avait pensé Ryôsuke, mais ses mains et sa nuque rougirent et enflèrent, il attrapa presque des cloques. Le simple fait de plier les bras était douloureux. Dès le lendemain matin, il s'enroula une serviette autour du cou et emprunta un chapeau de paille à Hashi. Ainsi attifé, il avait tout d'un pêcheur de l'île.

Le changement de saison modifia le cours de leurs journées. Ils sortaient en mer avant le lever du soleil pour rentrer au port à dix heures au plus tard. Dans la journée, la chaleur ne permettait guère de se promener, alors Ryôsuke nettoyait l'étable, donnait du foin à

Tsuyoshi et Hanayo, et préparait des fromages à affiner. Ce n'était qu'assez tard dans l'après-midi qu'il gravissait la montagne pour apprivoiser les chèvres de la forêt.

Mais même à cette heure tardive, l'été sur l'île était encore impitoyable. Dans les fourrés, le long du sentier ; chaque feuille réverbérait la furie du soleil, tentant de consumer quiconque s'y aventurait. Comme si cela ne suffisait pas, Ryôsuke trimbalait tout un attirail : un jerrican en plastique et un seau pour la traite remplissaient son sac à dos, tandis que la glacière à son épaule contenait du caillé et des fromages. Trempé de sueur, il gravissait le mont Aburi balayé par des vents brûlants. C'est ainsi que, chaque jour, il se rendait dans la forêt primaire.

Les banians géants étaient toujours là, à l'identique d'avant la saison des pluies. Malgré les trombes d'eau, ils n'avaient changé en rien.

Dès son retour, Ryôsuke réussit à rencontrer le troupeau de pinzas. Buchi était là, tout comme la chèvre noire. Une chèvre blanche s'approcha aussi, presque collée à Buchi.

Contrairement aux arbres, le troupeau, lui, avait changé.

Les chevreaux qui sautillaient comme des jouets lors de leur première rencontre avaient disparu. À leur place, Ryôsuke voyait de jeunes chèvres courir à gauche et à droite quand il faisait son apparition.

Il reconnut immédiatement chaque chevreau devenu grand. La roue des saisons avait tourné.

Il tenta de traire les femelles chaque jour.

Comme Mlle Yoshikado y était aisément arrivée, il se disait qu'en prenant son temps, il y parviendrait aussi.

D'autres chèvres que Buchi et la noire s'étaient peu à peu habituées à lui. Elles se laissaient caresser la tête et le dos.

Mais l'étape suivante fut beaucoup plus difficile. Lorsque ses doigts effleuraient leurs pis dans l'intention de les traire, la plupart d'entre elles prenaient la fuite. Seules les chèvres blanches le laissaient brièvement s'exercer, mais leur mamelle était molle, bien moins gonflée que celle de Hanayo.

Ryôsuke n'avait pas oublié les explications de Hashi : malgré leur apparence de race laitière, c'étaient des chèvres bâtardes. De plus, dans le cycle de vie des animaux, il était tout à fait normal qu'une fois les petits sevrés, leur mamelle dégonfle. Puisque les chevreaux devenus grands n'avaient plus besoin de lait, il aurait beau s'escrimer, il n'y aurait rien à traire.

Au fil des jours, il comprit qu'il se heurtait à un problème imprévu. C'était comme si le pont qu'il avait pensé pouvoir traverser s'était effondré sous ses pieds.

« À la différence des humains, les animaux connaissent des périodes de rut, lui rappela Hashi. Ryôsuke, ne me dis pas que tu croyais que les chèvres produisaient du lait toute l'année ?

– On ne peut pas décaler la période où elles mettent bas ?

– Bien entendu, des chercheurs s'y sont attelés. À l'époque où je me consacrais au fromage de chèvre, on considérait que c'était impossible, pourtant il paraît que cela se fait maintenant. Mais être fermier, ce n'est pas ça. Le fermier recueille les bienfaits de la nature, il travaille en harmonie avec le cours des choses. Si c'est pour influer sur les mœurs des animaux, autant fabriquer du fromage dans une usine. Dire que tu découvres cela maintenant… Tu ne crois pas que tu ferais mieux de commencer par aller étudier en France ? »

Hashi a raison, se dit-il. S'il voulait vivre avec les chèvres, il avait d'abord des choses à apprendre. Les connaissances fondamentales lui faisaient défaut.

Chez les chèvres, les chaleurs apparaissaient à l'automne, la gestation avait lieu l'hiver et la mise bas au printemps. D'après les explications de Hashi, leur mamelle gonflait à partir de l'hiver, mais, l'été passé, une fois les petits sevrés, on n'obtenait plus une goutte de lait. Toutes les chèvres, sans exception, évoluaient suivant ce calendrier immuable.

« D'où l'importance de l'affinage, souligna Hashi. Pour quelqu'un qui fabrique du fromage, c'est une question de vie ou de mort. Les chèvres ne produisent du lait que la moitié de l'année. Si on ne fait que du chèvre frais, on se retrouve au chômage lorsque le lait manque. On n'a pas de quoi vivre. Mais grâce à l'affinage, on peut fournir du fromage même quand il n'y a plus de lait. C'est précisément pour ces raisons que le fromage a vu le jour. L'affinage, ce n'est pas qu'une question de saveur. L'objectif premier, c'est la conservation. Et inversement, sans possibilité de l'affiner, il est impossible de produire du fromage », expliqua-t-il en accompagnant son *shôchû* d'un morceau de chèvre raté aux relents de moisissures noires.

Tout le problème était de trouver un endroit où mener les expériences d'affinage.

Ryôsuke visita la grotte dans la forêt. À la lumière de sa

lampe frontale, il partit méthodiquement à la recherche d'une surface plane où poser les caillés et les chèvres. Il l'explora jusqu'au fond, en vain. Pour fabriquer une étagère dotée d'une protection contre les souris, il lui faudrait transporter planches et outils depuis le village. Il n'y arriverait pas tout seul.

Après réflexion, il décida de déposer les caillés enveloppés de papier aluminium dans les cavités à l'intérieur de la grotte. Il s'était résigné aux dégâts des rongeurs, se disant qu'il en resterait bien quelques-uns intacts. Il n'en était pas encore à fabriquer un produit vendable. Quelle flore se développerait et comment les fromages évolueraient-ils ? C'était tout ce qu'il voulait savoir.

Débarrasser tous les jours les restes de caillés grignotés par les souris n'avait rien d'agréable. Elles étaient plus nombreuses qu'il ne l'avait imaginé. Même dans les cavités à hauteur d'homme, les fromages étaient réduits en miettes. Les poser en hauteur ne semblait guère avoir d'effet contre les rongeurs. En revanche, les dommages diminuaient vers le fond de la grotte, où presque tous les caillés étaient épargnés.

Le fond de la grotte, où l'obscurité était totale quand il éteignait sa lampe frontale : là semblait se situer la frontière entre les endroits où les souris s'en donnaient à cœur joie et ceux où elles n'allaient pas. La température baissait brusquement, c'était le point à partir duquel on commençait à avoir froid en bras de chemise. Comme il n'imaginait pas des rongeurs se guider grâce à leur vue, il en déduisit que c'était sans doute le changement de température qui les rebutait.

30

Ce jour-là encore, Ryôsuke se rendit dans la grotte.

Il ôtait le papier aluminium sous un caillé déposé dans une cavité et vérifiait, à la lueur de sa lampe frontale, le développement des moisissures. Ensuite, il retournait le fromage, dont il protégeait à nouveau le dessous avec une feuille de papier aluminium, et il le remettait en place. Il répétait la manœuvre pour chaque chèvre.

Peut-être parce qu'il faisait frais, les caillés commençaient à s'affermir. C'était ce qu'il recherchait. Il faudrait voir ensuite quelle flore se développerait, mais cela demandait encore du temps.

Ce jour-là, il pénétra au plus profond de la grotte. Dans l'univers révélé par sa lampe, deux choses lui donnèrent matière à réflexion.

La première était qu'au fur et à mesure de sa progression, il gagnait de la hauteur. Or, si la grotte correspondait avec la Caverne des vaincus, elle aurait dû se prolonger en pente. Du point de vue du relief, cette structure le faisait tiquer.

La deuxième chose était que, bien qu'il se soit enfoncé

assez loin, il avait trouvé des crottes de chèvres. La lumière du jour était bloquée bien en amont, et le froid tel qu'il décourageait même les souris. Alors, pourquoi ces crottes ? Pourquoi des chèvres venaient-elles jusqu'ici ? Il déambula dans l'obscurité sans trouver de réponse.

La lumière au bout du tunnel.

Pour lui qui souhaitait par-dessus tout réussir l'affinage de ses fromages, aucun lieu n'était, pour l'heure, plus précieux que les ténèbres de la grotte. Pourtant, lorsqu'il se dirigeait vers la sortie, une fois son travail terminé, apercevoir la lumière du jour au loin était un réel soulagement. À l'approche de la sortie, l'air se réchauffait graduellement, lui faisant presser le pas.

Mais ce jour-là, il s'immobilisa devant le faisceau de lumière qui pénétrait dans la grotte. Parce qu'une ombre l'avait brièvement occulté.

Trop grosse pour être celle d'une chèvre.

En proie à un mauvais pressentiment, il approcha de la sortie pas à pas, en prenant garde à ne pas faire de bruit. Dans l'ovale découpé par l'ouverture, les feuilles de banians bruissaient.

Il regagna le monde lumineux avec précaution. La forêt était inchangée, ses frondaisons dansant dans la brise.

Il les repéra tout de suite. Plusieurs chèvres se précipitaient dans les fourrés. Et quelqu'un, armé d'une arbalète, s'apprêtait à décocher un carreau dans leur direction.

C'était Hisao.

Ryôsuke retint sa respiration quand le projectile jaillit et vola droit vers les fourrés dans un bruit déchirant. Il rata sa cible et alla se ficher dans le tronc d'un banian, près de l'endroit où avaient disparu les pinzas.

Ryôsuke vit Hisao claquer de la langue, dépité.

Était-ce donc cela, le rite de passage à l'âge adulte ? Hisao cherchait à tuer une chèvre. Par malheur, un fourré frémit près de Ryôsuke. C'était Buchi, qui émergeait de la verdure profonde recouvrant la paroi près de la grotte. Sans doute avait-elle quitté sa cachette parce qu'elle l'avait vu.

Hisao repéra lui aussi le craquement des branchettes brisées. Il fit demi-tour sur lui-même en se baissant et se retrouva face à eux.

« Buchi, enfuis-toi ! » cria Ryôsuke.

Buchi se raidit. Elle le regardait, perdue.

Du coin de l'œil, il vit Hisao positionner son arbalète.

« Non ! » cria-t-il à pleins poumons pour l'arrêter.

D'abord, il n'en crut pas ses yeux, puis son sang se glaça dans ses veines. Ce n'était pas Buchi, mais lui, que Hisao visait de son arbalète.

Le carreau fut éjecté dans un bruit sec. Ryôsuke plongea sur le côté. Le projectile le frôla, passant juste au-dessus de son corps à terre, rebondit sur un rocher et s'écrasa au sol.

Ryôsuke n'arriva pas à se relever immédiatement.

Il se redressa, tremblant, et quand il parvint enfin à le trouver du regard, Hisao était déjà loin.

La colère jaillit en lui, fusant en étincelles. Comme le jour où Mutsu l'avait bourré de coups de pied, un voile noir s'abattit devant ses yeux. Mais le garçon courait vite. Sa silhouette s'était déjà évanouie.

Ryôsuke alla ramasser le projectile. Il était doté d'une solide pointe de sept ou huit centimètres de long. S'il avait fait mouche, ni les chèvres ni lui-même n'en seraient ressortis vivants. Et pourtant, Hisao lui avait bien tiré dessus.

Incrédule, Ryôsuke passa à plusieurs reprises le doigt sur la pointe du carreau.

Buchi avait disparu, tout comme les autres chèvres.

31

Après le coucher du soleil, Ryôsuke s'installa à table avec Hashi. Quand il lui raconta l'affaire, celui-ci se rembrunit. Son doigt courait sur la pointe du projectile et il lâcha à voix basse : « Il a tiré sur un être humain ?

– Pour le rite de passage à l'âge adulte, on chasse à l'arbalète ? » demanda Ryôsuke.

Il avait pris sur lui pour se calmer. Il interrogeait d'une voix posée Hashi qui manipulait le projectile.

« A priori, la technique n'est pas imposée. Certains utilisent en effet des armes de trait, mais on peut aussi capturer la bête vivante, avec une corde. Comme certaines chèvres sont habituées à l'homme, ça ne doit pas être très difficile. »

Ryôsuke reprit en main le carreau d'arbalète que Hashi avait reposé sur la table.

« D'autres personnes utilisent des armes de trait ?

– Peut-être pas une arbalète, mais des flèches, oui, sans doute. C'est juste que, ces dernières années, du fait qu'il n'y a plus de jeunes, on n'organisait plus de cérémonie. Alors, je ne pense pas qu'il y ait vraiment de règles, hormis tuer la bête soi-même. À mon avis, tout le monde est d'accord là-dessus. Critiquer le choix de l'arme de Hisao ne servirait à rien.

– Même s'il m'a pris pour cible ?

– Tout le problème est là, répondit Hashi. Si nous allons protester, il promettra de faire attention et l'affaire sera réglée. Dans le meilleur des cas. Car, comme nous avons déjà contrevenu aux coutumes de l'île, ils pourraient même imaginer que nous remettons en cause le rite de passage à l'âge adulte.

– N'exagérons rien. »

Hashi avala une gorgée de *shôchû*. Il s'essuya la bouche du revers de la main et afficha un air grave.

« Il n'aura pas de mal à se trouver une excuse, à dire qu'il ne te visait pas. Il n'en démordra pas. »

Ryôsuke, l'air dépité, tendit la main vers son verre, mais il suspendit son geste.

« Pour la cérémonie, il suffit de sacrifier une chèvre, c'est bien ça ?

– Sans doute qu'une ne suffira pas. Vu leur statut social, cela m'étonnerait qu'ils se contentent de la chèvre abattue par Hisao. C'est le prochain président, vois-tu. Il va d'abord en tuer une. Ensuite, des volontaires en captureront sûrement d'autres, qu'ils lui offriront vivantes. C'est toujours toute une histoire dans chaque famille pour décider quoi offrir. En général, les hommes donnent un beau poisson, une sériole ou une daurade, ou une chèvre supplémentaire.

– Ça veut dire que plusieurs chèvres seront abattues ou capturées ?

– Oui. Comme l'a rappelé le Président, elles sont laissées en liberté à cet effet.

– Les chèvres à partir du lait desquelles nous essayons de faire du fromage… »

Hashi ferma les yeux. Son verre à la main, il croisa les bras, et poussa un gros soupir.

« Ryôsuke.

– Oui.

– Il est temps pour toi de partir, je crois. Tu ferais mieux de quitter l'île bientôt. »

Encore une fois, Ryôsuke fit courir son doigt le long du projectile.

« Cela fait déjà six mois que tu es ici, ajouta Hashi.

– Oui. Bientôt…

– Six mois, on peut trouver cela court ou long, mais tu as un but maintenant. Si tu veux réaliser ton rêve, tu seras mieux ailleurs qu'ici. Va te former en Europe. C'est sans doute ce que ton père et ta mère auraient souhaité, eux aussi. »

Ryôsuke baissa la tête sans répondre.

« À la réflexion…, reprit Hashi, ce qui vient d'arriver est une opportunité. Je tiens à te le dire, précisément parce que tu es le fils unique de celui qui était autrefois mon meilleur ami. Ne perds pas ton temps.

– Oui… mais j'ai l'impression de tout avoir fait à moitié. »

Une fois encore, Hashi ferma les yeux. Une ride se creusa entre ses sourcils.

« Il ne faut pas craindre les compromis.

– Pourquoi ?

– Parce que, comment dire, les perfectionnistes, les gens qui ne supportent pas les compromis, un beau jour, ils fichent tout en l'air, ils font table rase de tout.

Ils finissent par se dire que s'ils ne peuvent vivre qu'à moitié, autant disparaître. Mais ce résultat est le plus bancal. Ryôsuke, j'essaie de me mettre à ta place. Quoi qu'on fasse, on finit tous notre vie en ayant fait les choses à moitié. Ce n'est ni mal ni bien. Il faut apprendre à s'y faire. C'est mille fois mieux que de mettre fin à ses jours. »

C'est vrai, songea Ryôsuke. Mais il sentait naître en lui une sorte de résistance inexplicable. Contre quelque chose de particulier aux gens de l'île. Cela venait aussi de ces mots qu'il n'avait pas encore réussi à dire à Hashi.

« Vous allez passer sous silence l'épisode de l'arbalète ? demanda-t-il.

– Ce n'est pas ce que j'ai dit », protesta Hashi en avalant une franche gorgée de *shôchû*. Il ajouta : « Demain, après la pêche, nous irons rendre le carreau au Président, chez lui. Et nous lui dirons ce que nous avons sur le cœur. »

Ryôsuke accepta sans protester. Puis il remplit le verre de Hashi, qui ajouta :

« Mais… je ne suis pas sûr qu'on puisse aller pêcher demain. Si ce n'est pas le cas, nous aurons beaucoup de travail.

– Pardon ?

– Le typhon semble avoir changé de route, il se dirige vers nous.

– Un typhon ?

– Il va y avoir du gros temps dès demain. Si le typhon ne dévie pas, il nous frappera de plein fouet. »

Ryôsuke se demandait de quoi parlait Hashi. Dans le ciel, les étoiles brillaient. Il n'y avait pas un seul nuage.

On voyait même la Voie lactée en entier. Le vent ne soufflait pas non plus. Pas un brin d'herbe ne frémissait.

Sans doute Hashi avait-il écouté la météo, mais d'où sortait-il cette histoire de typhon ? Cela lui paraissait incroyable.

32

Le lendemain matin, à l'orient, le ciel était embrasé, telle une gerbe de flammes. Une aube annonçant du mauvais temps. Devant cette explosion de couleurs, Ryôsuke comprit enfin qu'une énergie hors du commun approchait.

À l'extrémité de la digue, déjà, les vagues venaient se briser dans des tourbillons d'écume.

La houle avait enflé, plus lourde et plus puissante, et tout juste étaient-ils sortis du port que Ryôsuke peinait à tenir assis. À chaque montagne d'eau qu'ils franchissaient, le bateau plongeait l'étrave la première et tanguait fortement. Il devait se tenir des deux mains au plat-bord et aux filins de pêche pour ne pas être éjecté.

S'ils étaient malgré tout partis pêcher, c'était dans l'espoir de profiter de la fringale qui s'emparait des poissons avant une tempête.

Lorsque la pression atmosphérique baisse et que la houle forcit, les poissons alertés du changement qui se prépare sont comme pris d'une boulimie anormale. L'environnement étant clairement favorable aux gros poissons qui se nourrissent de plus petits, ils décidèrent de pêcher à la traîne, à la lisière des courants.

Comme l'avait prédit Hashi, la pêche fut bonne. Ryôsuke, bien que souffrant du mal de mer, remonta les prises les unes après les autres. Avec les leurres de surface, ils prirent des coryphènes, des thazards et plusieurs bonites. Avec le *downrigging*, un lest permettant de pêcher dans le courant à une profondeur moyenne, une sériole de plus de vingt kilos mordit à la canne de Hashi. Mais ils étaient sans cesse arrosés d'embruns des pieds à la tête, et ils rentrèrent plus tôt que prévu.

Dans le port, l'agitation régnait.

S'il atteignait réellement les niveaux de pression atmosphérique annoncés, le typhon serait d'une puissance comme on n'en voyait que tous les vingt ou trente ans. Les vagues franchiraient aisément la digue, disait-on. Les bateaux devaient être reliés entre eux par des cordes et amarrés au plus profond de la rade, sinon ils chavireraient tous, jusqu'au dernier.

Hashi partit vers la salle communale avec leurs prises, tandis que Ryôsuke s'affairait à suspendre des pneus usagés sur les flancs des bateaux. Ils absorberaient les chocs entre les embarcations amarrées en rangs d'oignons. Peu habitué à l'exercice, il manquait d'efficacité et se fit houspiller à plusieurs reprises par les villageois. La tension dans leurs voix laissait deviner leur inquiétude face au typhon.

Hashi, de retour, haussa les épaules.

« Tout le monde court dans tous les sens. »

La matinée de pêche avait été bonne pour tous les équipages et les réfrigérateurs ne suffisaient pas à stocker les prises. Mais pendant qu'on se disputait sur la conduite à tenir, le typhon approchait. Il fallait amarrer les bateaux et protéger les maisons. Les pêcheurs le savaient bien et tous étaient sur les dents. Hashi, lui, s'exprimait d'un ton posé :

« On ne va pas pouvoir sortir pendant trois jours, alors autant siroter calmement un verre.

– Le typhon est si puissant que ça ?

– 920 hectopascals, paraît-il. S'il nous arrive tel quel, cela le classera parmi les plus puissants jamais vus, avec des vents de 180 à 210 kilomètres à l'heure. Une tempête comme les gens de métropole n'en vivent jamais. On va installer Hanayo et Tsuyoshi dans le vestibule. Et clouer des planches devant les fenêtres orientées vers la mer, sinon des cailloux les briseront. » Il ajouta : « Avant de pouvoir prendre un verre tranquillement, il va falloir bosser », et il s'empara d'un rouleau de cordage pour aider à amarrer les bateaux.

Le ciel dominé par le typhon changeait à vue d'œil. Lorsque Ryôsuke releva la tête, une fois les bateaux amarrés, il restait encore un peu de ciel bleu. Mais ce n'était déjà plus le cas lorsqu'ils quittèrent le port pour retourner au village. Le vent soufflait par bourrasques intermittentes et, dans le ciel balayé par les courants atmosphériques, des blocs de nuages gris s'amoncelaient les uns après les autres. La mer aussi était agitée. La houle avait forci depuis leur sortie du matin. Les vagues, toutes surmontées d'une crête blanche, formaient des creux mouvants.

Dans le village, l'agitation grandissait. Partout, les gens s'affairaient à consolider leur maison. Clouer des planches par-dessus les volets fermés était la méthode la plus courante sur l'île.

Tout en les regardant se démener, Ryôsuke fit courir ses doigts sur le carreau d'arbalète posé sur le tableau de bord. La radio grésillante annonçait que l'île pourrait se trouver prise dans la tempête le soir même.

« À partir de la fin d'après-midi, il ne sera plus question de mettre un pied dehors », dit Hashi qui conduisait.

Il désigna un homme qui consolidait son toit, juché sur une échelle.

« Il aura beau faire, si le vent souffle comme annoncé, toutes les tuiles s'envoleront.

– Ça va souffler si fort que ça ?

– Nous aussi, il faut qu'on se prépare. Dépêchons-nous d'aller rendre ça. »

Il lança un coup d'œil au projectile et accéléra à travers le village.

Une dizaine d'hommes étaient attroupés près de la maison du Président. Parmi eux, Mutsu et ses acolytes, qui les virent arriver.

« Au fait, ils nous ont présenté leurs excuses, eux ? » demanda Hashi.

Il faisait référence aux multiples accès de violence de Mutsu, lorsqu'il était encore persuadé que le manège du contremaître était l'œuvre des saisonniers.

Ryôsuke répondit : « Non, pas vraiment. » Hashi saisit alors d'un geste vif le carreau d'arbalète que Ryôsuke s'apprêtait à prendre. Le projectile à la main, comme s'il portait l'une de ces flèches porte-bonheur du Nouvel An, il sortit de la voiture et avança vers le groupe d'hommes. Ryôsuke le suivit.

« Qu'est-ce que vous voulez ? » les interpella Mutsu alors qu'ils approchaient.

Hashi leva le trait d'arbalète et répondit d'un ton bourru :

« On est venus rendre ça au gamin. On dirait qu'il ne sait pas faire la différence entre un homme et une chèvre. »

Mutsu jeta un œil au projectile et tendit la main : « Je m'en chargerai. »

Hashi lui tourna le dos : « C'est pas la peine.

– Mais là, ils sont en train de dépecer une chèvre. On ne peut pas les déranger », se rembrunit Mutsu.

Hashi, qui s'apprêtait à fendre la foule, s'immobilisa et se retourna pour fixer Ryôsuke, qui lui rendit son regard et traversa le groupe d'hommes.

Les feuilles du grand cycas tressautaient dans le vent. Le Président était adossé au tronc, les bras croisés. Devant lui reposait une planche de la taille d'un tatami, sur laquelle Hisao, en survêtement et tablier, était en train de découper des morceaux de viande. La planche et les mains du garçon étaient toutes rouges. Dans cette mer de sang reposait la tête d'une chèvre noire.

Ryôsuke se sentit suffoquer. Il serra les poings. Détourna les yeux. Regarda encore une fois.

Pas de doute. C'était la chèvre noire, décapitée et débitée en quartiers.

« Hashi.

– Oui.

– Je la connais, cette chèvre. »

Le visage de Hisao, taché de sang sur le menton et le nez, était empreint du plus grand sérieux. Il se mordait les lèvres, fronçait les sourcils. Son regard, hérité de son père, était dur. Celui de la chèvre noire, dont la tête gisait, négligemment abandonnée, était éteint. On aurait presque dit qu'elle était aveugle.

Ryôsuke, oppressé, s'apprêtait à reculer. Mais Hashi lui effleura le coude.

« Il y en a une autre là-bas. »

Il avait le visage tourné vers l'étable.

Une chèvre vivante y était attachée.

C'était Buchi.

33

« Ce matin, Hisao a abattu cette chèvre d'une flèche. »

Le Président avait commencé à expliquer les faits, sans s'adresser à personne en particulier.

« Il a touché un point vital et elle est morte sur le coup. Il faut la dépecer et la vider maintenant, sinon la viande va se gâter. J'aurais aimé donner une fête en l'honneur de mon fils ce soir, mais avec ce typhon… Ce sera pour plus tard. Il nous faudrait plusieurs autres chèvres sauvages pour le ragoût. Même avec celle-là, ça ne suffira pas. »

Il avait désigné Buchi du doigt.

L'un des hommes qui se trouvait près de Ryôsuke murmura : « Celle-là, c'est Mutsu et ses copains qui l'ont capturée. » Ryôsuke s'en doutait. Le Président lança à Mutsu et à ses acolytes un regard, qui semblait vouloir dire : je compte sur vous. Il adressa également un signe de tête à Hashi et Ryôsuke.

« Hashida. Si ça ne suffit pas, vous me donnerez le mâle que j'ai chez vous.

– Hmm », acquiesça Hashi sans conviction.

Au même moment, Hisao releva la tête. Il jeta un regard en coin à Ryôsuke et grimaça. Puis il reprit en main son couteau, qu'il abattit fermement sur la jointure d'une patte de la chèvre. Le bruit sourd résonna jusque dans la cicatrice sur la poitrine de Ryôsuke.

Le carreau d'arbalète à la main, Hashi et Ryôsuke retournèrent à leur camionnette.

Ils n'avaient rien pu dire, ni l'un ni l'autre. Ils n'avaient pas ouvert la bouche.

Sur les chemins du village balayés par le vent, la poussière dansait. Ryôsuke regardait ce spectacle par la vitre du siège passager, mais partout surgissait la silhouette de Buchi attachée.

Elle s'était contentée de le regarder, immobile.

Elle avait pourtant sûrement bien vu la chèvre noire se faire dépecer.

Devant lui, elle avait tenté un seul saut brusque. La corde s'était tendue et elle avait perdu l'équilibre, atterrissant sur le flanc. Mais elle s'était aussitôt relevée. Après s'être secouée dans un frisson, sans un seul bêlement, elle l'avait à nouveau regardé. Ses yeux dorés étaient braqués droit sur lui.

Ryôsuke l'avait senti.

Jusqu'à ce qu'ils arrivent chez Hashi, la lueur des prunelles de Buchi incrustée sur sa rétine se superposa à tout ce qu'il voyait.

Les arbres secoués par le vent dans les jardins. Le foin qui s'envolait des étables. Le rouge et le jaune entremêlés des hibiscus. Les enfants qui rentraient de l'école dans des volutes de poussière en criant de joie. Les feuilles des cycas qui se balançaient, prêtes à s'éparpiller. Dans chacune de ces scènes, il voyait les yeux dorés de Buchi.

« Avant tout, dépêchons-nous de protéger la maison », dit Hashi.

Quand Ryôsuke reprit ses esprits, la camionnette filait sur le sentier agricole. Il regarda le projectile qui avait retrouvé sa place sur le tableau de bord :

« Le carreau d'arbalète… on n'a pas réussi à le rendre. »

Hashi acquiesça d'un hochement de tête.

La table de jardin avait basculé ; Ryôsuke la démonta et la rentra. Il ferma les volets, en travers desquels Hashi, à l'extérieur, cloua des planches. Pour les vitres de la porte-fenêtre, ils utilisèrent les planches de l'étable, fermement maintenues en place par des clous. Quand ils eurent terminé, Hashi mena Tsuyoshi et Hanayo dans le vestibule. Hanayo franchit la porte sans regimber, mais Tsuyoshi lui donna du fil à retordre. Arc-bouté sur ses quatre pattes, il secouait la tête.

« Si tu n'entres pas, le typhon va t'emporter », gronda Hashi.

Tsuyoshi baissa la tête, comme vaincu, et pénétra dans l'entrée.

« Ils comprennent ce qu'on dit », commenta Hashi en caressant la tête de Tsuyoshi.

C'était exactement le genre de remarque que Ryôsuke ne souhaitait pas entendre pour le moment : si Tsuyoshi avait rechigné à entrer et qu'il avait changé d'avis, convaincu par Hashi, il y avait clairement une raison. Ce n'était pas qu'il comprenait ce qu'on lui disait ; il avait sa façon à lui de ressentir les choses. Il avait une âme.

Buchi qui l'avait sauvé sur la falaise. La chèvre noire qui l'avait poussé du museau dans la forêt. Pûno qui s'était débattu entre ses bras. Et les bêlements aigus de Hanayo quand elle avait perdu ce même Pûno.

Sans doute les chèvres ne pensaient-elles pas de la même façon que les humains, mais elles concevaient des petits, leur donnaient naissance et les élevaient, elles ne pouvaient être dépourvues de sentiments et d'entendement. C'est pourquoi Buchi l'avait regardé fixement de ses prunelles dorées. Ryôsuke le savait. Il ne pouvait en être autrement.

« Bien, maintenant, il ne nous reste plus qu'à écouter la radio, bien calfeutrés », déclara Hashi en passant à la cuisine.

Comme Ryôsuke ne desserrait pas les dents, il soliloqua en leur servant du *shôchû*.

Le tintement de la bouteille et des verres dans les oreilles, Ryôsuke repensa aux yeux de Mlle Yoshikado. Mais eux aussi furent aussitôt remplacés par le regard doré de Buchi.

C'est une fois qu'ils eurent commencé à boire, assis face à face à la table basse, qu'il commença à pleuvoir. Hashi avait vidé des coryphènes, invendables, dont il avait rapporté une pleine caisse. Ils les mangeaient en sashimi, accompagné de *shôchû* au sucre roux. Mais Ryôsuke n'avait pas le cœur à manger et à boire.

Soudain, il se mit à pleuvoir à verse.

« Ça y est, ça commence. »

Avec les volets cloués, la maison était hermétiquement close, hormis la fenêtre de la cuisine laissée entrouverte pour faire circuler un peu l'air lourd et humide. Le champ de canne à sucre qu'ils avaient d'habitude sous les yeux disparaissait sous la pluie, enveloppé d'une brume blanche.

Ryôsuke se leva pour déplacer les fromages de chèvre qui, disposés près de la fenêtre, se faisaient asperger. Les caillés recouverts de moisissures noires étaient trempés. Au toucher, ils étaient mous, bien loin d'être affinés.

Il s'apprêtait à les mettre dans un endroit à l'abri de la pluie, quand il suspendit son geste. Il attrapa un saladier sur l'étagère et les entassa dedans.

« Mangeons ce qui peut l'être. C'est fini. J'abandonne. »

Lorsqu'il posa le saladier sur la table basse, Hashi le regarda, bouche bée.

« Tu abandonnes ?

– J'arrête. Ça suffit.

– Eh bien », fit Hashi en saisissant un chèvre. Il balaya les moisissures du doigt et le frotta avec un mouchoir en papier trempé dans du *shôchû*, comme pour le polir, avant d'y goûter. Après avoir mastiqué un instant sans rien dire, les sourcils froncés, il but une rasade d'alcool.

« En effet, c'est raté. Toutes nos tentatives ont été infructueuses, je suis désolé.

– Moi aussi. »

Ryôsuke attrapa du bout des doigts un chèvre raté.

« Je ne devrais pas le dire, fit Hashi, mais pour ce qui est du fromage… je crois que tu as échoué. Comme moi il y a vingt ans.

– J'ai échoué ?

– Oui. Autant reconnaître ta défaite de bonne grâce. »

Il choqua son verre contre celui de Ryôsuke, qui y avait à peine trempé ses lèvres.

« Tu as échoué après t'être bravement battu. C'est un tournant. Trinquons ! »

Ryôsuke reposa dans le saladier le chèvre qu'il tenait à la main. À vrai dire, il avait envie de fracasser le récipient et son contenu contre un mur. S'il n'en fit rien, c'était en partie parce qu'il se raisonnait, mais aussi et surtout parce qu'ils buvaient sous le regard de Hanayo et Tsuyoshi. Ces fromages ratés étaient tout ce qu'il restait du lait de Hanayo, celui qu'elle avait produit pour Pûno et son autre petit, et qu'un humain s'était arrogé le droit de trafiquer, avec l'échec pour seul résultat.

« Échouer, c'est important », reprit Hashi comme pour briser le silence.

Ryôsuke restait coi.

« Ne pas reconnaître sa défaite, c'est s'exposer à vivre en gardant des racines pourries.

– Je connais quelqu'un qui est mort d'avoir reconnu sa défaite…

– Ton père…

– Oui ?

– Tu ne devrais pas… le porter comme une croix.

– Je ne le porte pas comme une croix.

– Si. »

Hashi vida son verre de *shôchû* d'un trait et le remplit aussitôt.

« Tu sais, Ryôsuke, je crois que… Quand on est à un

tournant de sa vie, qu'il s'agisse d'une défaite ou d'une victoire ne change pas grand-chose. Au contraire, la victoire est peut-être pire parce qu'elle ne nous ouvre pas les yeux. C'est une bonne chose que tu aies échoué. »

Il commençait à avoir la bouche pâteuse.

34

Ils buvaient depuis un moment, sans beaucoup parler, lorsqu'on frappa à la porte. Hashi tâcha de se lever, mais il retomba sur les fesses, agrippé au rebord de la table. « Pardon », marmonna-t-il. Ryôsuke alla ouvrir : c'était Toshio, trempé comme une soupe malgré son imperméable.

« Bah alors… Messieurs Sôichi Hashida et Ryôsuke Kikuchi, j'ai du courrier pour vous. »

C'est plus qu'improbable, pensa Ryôsuke, mais il fit entrer Toshio et l'essuya avec une serviette. Hashi, l'élocution hésitante, lança : « Merci, monsieur le facteur. » Toshio afficha un large sourire à la vue de Tsuyoshi et Hanayo.

« Bah alors, il faut s'accrocher avec cette pluie et ce vent. »

Hashi approcha en rampant à moitié et demanda : « Un verre ? » Ryôsuke en prépara un, que Toshio vida cul sec, comme pour rattraper son retard.

« Bah alors, ouf, c'était quelque chose », dit-il.

D'après lui, les vagues passaient déjà par-dessus la digue. La pluie n'était plus oblique, mais carrément horizontale.

« Pfff, bah alors, les gouttes d'eau sur le visage, ça fait mal. Et puis, les chemins sont comme des rivières, à charrier plein de feuilles et de branches. »

Il était maintenant installé à table, mais son excitation ne retombait toujours pas. Il leur racontait ce qu'il avait vu de l'île à l'approche du typhon.

« Lui, à chaque typhon, il perd la boule et il va se promener dehors », lança Hashi.

« C'est vrai. Parce que moi, les typhons, ça m'électrise. Quand j'ai dit que j'aimais les typhons, maman m'a grondé. Pouah ! Mais aujourd'hui, c'est pas pareil.

– Comment ça, c'est pas pareil ?

– C'est différent. C'est différent, répéta-t-il tandis que Hashi poussait vers lui le plat de poisson cru. J'ai oublié de distribuer le courrier arrivé par le ferry d'hier. Ça me travaillait, je n'arrêtais pas d'y penser. Je me suis dit que je n'arriverais pas à dormir si je ne vous l'apportais pas. Vous savez, moi, je n'arrive pas à fermer l'œil quand j'ai quelque chose sur la conscience.

– Qu'est-ce que tu racontes ? En réalité, tu avais juste envie de sortir en plein typhon.

– Non, je vous assure. Je suis vraiment venu pour soulager ma conscience. »

Toshio attira à lui sa gibecière posée par terre. Il l'avait sans doute transportée sous son imperméable, car elle n'était presque pas mouillée.

« Bah alors, tenez, voilà.

– Il y a vraiment du courrier pour nous ? » demanda Ryôsuke.

Toshio lui fit signe que oui en tirant deux enveloppes blanches de sa sacoche.

« Tiens. »

L'une était effectivement adressée à Hashi, tandis que l'autre portait le nom de Ryôsuke. Lorsque Ryôsuke tendit à Hashi l'enveloppe qui lui revenait, ses traits fatigués se détendirent un peu. Les deux lettres étaient de Kaoru.

Chacun d'un côté de la table, ils lurent leur courrier.

« C'est une jeune femme encore plus accomplie que je ne le pensais », commenta Hashi.

Il retourna la feuille de papier à lettres du bout des doigts, comme s'il manipulait un objet précieux. Un sourire se dessina enfin sur le visage de Ryôsuke : l'écriture de Kaoru était un peu irrégulière, avait-elle bu avant de lui écrire ?

Dans sa lettre, elle expliquait que depuis son départ de l'île, elle continuait à voir Tachikawa, ils avaient pris un verre ensemble récemment. Elle s'était inscrite dans une école de photographie. Voir Ryôsuke s'atteler à la fabrication de fromages de chèvre lui avait fait comprendre que dans la vie, il était important d'avoir un objectif.

À propos de la photographie, elle écrivait ceci :

Chaque fois qu'on appuie sur le déclencheur, on capture la nouveauté d'un instant : c'est ça, la photo, comme je commence à le découvrir. Cela m'a ouvert les yeux sur tout un tas de choses. En ce moment, mes journées sont une succession de découvertes.

Nous aussi, nous nous renouvelons continuellement au fil du temps. Peut-être sommes-nous venus au monde pour ressentir la nouveauté de chaque chose. C'est ce qu'il me semble. La souffrance et les épreuves sont elles aussi une nouveauté. Une fois que je les aurai surmontées, j'arriverai sans doute à prendre une photo souriante. Maintenant, j'en suis convaincue.

La lettre se refermait sur l'assurance qu'elle reviendrait le voir, parce qu'elle tenait à photographier la vie d'un artisan fromager avec ses chèvres. À la fin, la même formule était répétée trois fois : tu me manques, tu me manques, tu me manques.

Ni l'un ni l'autre ne se confièrent sur le contenu de leur lettre.

« Kaoru, elle est drôlement plus à cheval sur les conventions qu'elle n'en a l'air », dit Hashi, alors qu'il remettait sa lettre dans l'enveloppe. L'émotion perçait dans sa voix.

« Ça me fait plaisir qu'elle m'écrive, mais au point où en j'en suis…, lâcha Ryôsuke.

– Que veux-tu dire ? » murmura Hashi, avant de reprendre, comme s'il savait parfaitement ce que contenait la missive adressée à Ryôsuke : « Ce n'est pas parce que tu as échoué ici que le fromage de chèvre va totalement disparaître de ton existence. Kaoru place de grands espoirs en toi, on dirait. Vous pourriez réessayer ailleurs, ensemble. »

Toshio, qui les écoutait en buvant, réagit :

« Échoué ? Bah alors… comme perdu ? Qui a perdu ?

– Moi.

– À quoi ? À un jeu ?

– Non… ou bien si… en quelque sorte.

– Ah bon. »

En quoi avait-il échoué ? Ryôsuke l'ignorait. Mais il n'y avait plus que ce sentiment d'échec qui l'habitait. Et ce n'était pas seulement lié au récent fiasco. C'était un sentiment qui ne l'avait jamais quitté depuis l'enfance.

Hashi disait qu'il fallait accepter sa défaite, mais entre l'échec tel que lui l'entendait et le pessimisme qui avait toujours été le sien, Ryôsuke voyait une différence cruciale.

Il ne s'agissait pas de l'accepter ou non. Il était au contraire solidemment ancré dans sa nature profonde. L'échec ne lui collait pas à la peau, à la chair ou aux os, mais sourdait de l'intérieur. C'était un défaitisme congénital, grandeur nature, hérité de son père.

Le visage de son père, dont il n'avait qu'un vague souvenir, s'évanouissait dans les ténèbres chaque fois qu'il tentait de le fixer. Son sentiment d'échec lui apparaissait comme l'unique lien entre eux.

Cela n'avait rien de rationnel… c'était comme ça. La pulsion presque irrésistible qui l'avait poussé à se taillader la poitrine puisait là sa source, il en était certain.

Il remua son verre, les yeux sur le reflet de l'ampoule à la surface de l'alcool.

Cette faible lumière finit par s'éteindre dès que l'obscurité se fut installée derrière les vitres. Il était encore trop tôt pour le crépuscule, mais dehors il faisait déjà presque nuit.

« La ligne a été coupée quelque part », constata Hashi.

Il apporta une bougie qu'il ficha dans une cannette

vide. Toshio, surexcité, exécuta une danse autour de la table.

Ryôsuke alla chercher la lanterne et sa lampe frontale, mais, comme ils n'avaient pas de piles de rechange, Hashi lui conseilla de ne pas les allumer pour le moment.

Les trois hommes continuèrent à boire à la lueur de l'unique bougie.

« Que peut bien faire l'institutrice, à cette heure ? » lança Hashi.

Pourquoi évoquait-il donc Mlle Yoshikado ? Toshio leur raconta alors que juste avant de venir, il l'avait vue, en compagnie du directeur de l'école et de son adjoint, entrer dans la maison du Président.

« Bah alors, le Président et Hisao sont venus les accueillir, et ils sont entrés à l'intérieur en riant. Sûrement qu'ils sont en train de faire la fête.

– Ça m'étonnerait, fit Hashi, les yeux sur Ryôsuke.

– Je vous assure… le directeur est entré en s'inclinant. Il disait, c'est terrible, ce typhon. Et l'institutrice aussi, elle était tout sourire.

– Si c'est vrai… c'est qu'elle se force. On l'imagine mal aller de son plein gré chez le Président, non ? Elle n'a certainement pas pu refuser, par égard pour le directeur. Le Président les a sûrement fait venir pour parler des mesures à adopter à l'approche du typhon. »

La voix pâteuse, Hashi tentait de prendre la défense de l'institutrice, mais Ryôsuke resta silencieux.

Hashi a sans doute raison, pensa-t-il. On imaginait mal Mlle Yoshikado aller là-bas de son plein gré. Il devait y avoir une explication.

Mais en admettant qu'elle n'ait pu refuser l'invitation, elle serait bien obligée d'accepter l'hospitalité du Président. La tempête faisait rage et l'électricité avait été coupée. Rentrer chez elle serait impossible. Ce qui signifiait qu'elle devrait passer la nuit sur place, en compagnie de Hisao et des autres. À son corps défendant. Si Hisao profitait de l'obscurité pour l'approcher, comment réagirait-elle ?

Il avait beau se répéter qu'il se faisait des idées, il ne parvenait pas à chasser cette image de son esprit. Et puis, les chèvres le préoccupaient encore plus. Mlle Yoshikado savait-elle que la chèvre noire avait été dépecée ? Que Buchi avait été capturée et attachée ? Si oui, dans quel état d'esprit buvait-elle aux frais du Président ?

Y penser le faisait souffrir, et il but plus de *shôchû* que de coutume. Malgré ses efforts pour la noyer, l'étincelle qui crépitait dans sa poitrine refusait de s'éteindre.

Le regard de Buchi s'imposa une nouvelle fois à son esprit.

35

La tempête forcissait.

Le vent fouettait sans relâche le toit et les murs, grondant comme un dragon géant. Quelque chose – peut-être des cailloux arrachés au champ de canne à sucre – tambourinait contre les volets et les murs. Il pleuvait à verse. À cause des éclaboussures, ils avaient fermé les fenêtres, mais des gouttes s'écoulaient quand même par les interstices.

La radio égrenait les informations sur le typhon : les basses pressions, la zone balayée par les vents violents, leur force, les précipitations, tout atteignait de nouveaux records. Des tornades étaient également susceptibles de se former.

Serein malgré tout, Toshio dormait roulé en boule dans un coin de la pièce.

« Je me demande s'il a prévenu sa mère qu'il venait ici », dit Hashi.

D'un pas chancelant, il passa dans la pièce voisine d'où il rapporta une couverture. Ryôsuke en couvrit Toshio.

« Parce que s'il disparaît par une nuit comme celle-ci, elle va se faire du souci.

– Hashi.
– Oui ? »
Tout en pensant qu'il ferait mieux de s'abstenir, Ryôsuke dit :
« Nous sommes repartis avec le carreau d'arbalète.
– Oui, c'est vrai, grimaça Hashi.
– Ça aussi, c'est un échec, insista Ryôsuke.
– Je sais..., reconnut Hashi. Mais il était difficile d'aborder le sujet, vu les circonstances. »
Certes, pensa Ryôsuke. Lui aussi s'était trouvé impuissant. Mais, haussant la voix par-dessus le battement continuel de la pluie, il demanda :
« Est-ce que, comme mon père, je vais moi aussi finir sur un échec ?
– Mais non, puisque je te dis... Ne pense pas comme ça.
– Je n'ai que peu de souvenirs, mais quand je pense à lui, j'ai l'image de quelqu'un de très souriant. »
Avec un bref hochement de tête, Hashi changea son verre de main.
« C'est vrai, il riait beaucoup, et il parlait beaucoup aussi. C'était quelqu'un de bienveillant...
– Mais ce n'est qu'une image. Que j'ai construite moi-même.
– Non, il était vraiment comme ça.
– Parce que...
– Parce que quoi ?
– Parce que s'il était vraiment comme ça, alors, ce n'était qu'un mensonge.
– Comment ça ? fit Hashi, les yeux ronds.
– S'il nous avait vraiment aimés, ma mère et l'enfant que j'étais, même croulant sous les dettes, aurait-il été

assez égoïste pour partir en premier ? S'il avait pensé à ceux qu'il laissait derrière lui, en aurait-il été capable ?

– Il était trop sérieux… Essaie de le comprendre.

– Non, parce que alors ce serait notre faute.

– Que veux-tu dire ?

– Pourquoi ma mère n'a-t-elle pas réussi à le sauver ? Et pareil pour moi. J'étais petit, d'accord, mais si je l'avais aimé davantage, il aurait peut-être changé d'avis malgré tout. La mort d'un homme est une tragédie. C'est l'issue d'un désespoir terrible. Ma mère et moi étions-nous à l'origine de ce désespoir ?

– Non. Tu ne dois pas penser comme ça. »

Il crut voir passer un éclair dur dans le regard de Hashi. Ses lèvres aussi semblaient s'être contractées, comme s'il serrait les dents.

Ils se turent. Le martèlement de la pluie arrivait par vagues depuis le champ de canne à sucre. Peut-être surpris par le bruit, Tsuyoshi et Hanayo se rapprochèrent l'un de l'autre.

Même les chèvres, quand elles sont inquiètes, recherchent le contact, se dit Ryôsuke. Alors, que s'était-il passé dans le cœur d'un homme qui, malgré sa famille, était parti en premier ?

« Je n'ai aucun souvenir précis. Et ma mère ne parlait pas de lui.

– Vraiment ? Pourtant…

– Quelle famille formions-nous ? Hashi, vous étiez là quand je suis né, n'est-ce pas ?

– Oui.

– Vous viviez avec eux ?

– Non… mais nous travaillions ensemble. »

Ryôsuke saisit un chèvre dans le saladier. Il était trop fermenté et trop coulant.

« À l'époque aussi, vous avez tout raté ?

– Non. »

Hashi posa son verre sur la table basse et regarda Ryôsuke bien en face.

« Nous avons réussi. C'était une petite ferme, avec seulement trois vaches laitières et cinq chèvres pour commencer. Tous ensemble, ton père, ta mère et moi, nous fabriquions d'excellents fromages. Tu en mangeais, quand tu étais petit.

– Du chèvre aussi ?

– Et du persillé, le meilleur de tous les chèvres. Quand ton père en a eu la certitude, c'est toi qu'il a appelé en premier. Il en a coupé un petit morceau, qu'il t'a fait goûter. Je me souviens de ton sourire ce jour-là.

– C'est vrai ? »

Les volets, pourtant cloués, vibraient maintenant comme s'ils menaçaient de s'envoler. Hashi reprit une gorgée de *shôchû* et continua à parler, malgré son élocution incertaine :

« C'était l'affaire de notre vie, nous avions fait un gros emprunt pour monter cette ferme. Mais tant que notre fromage ne se vendait pas, nous ne gagnions pas d'argent. Quand on travaillait ensemble en cuisine, on avait parfois l'impression d'être dans un long tunnel. Parce qu'on était de simples cuistots. On se demandait jusqu'à quand on ferait ce boulot. Mais c'était une période de forte croissance, et il suffisait d'avoir une idée pour pouvoir emprunter de l'argent. Nous allions être les premiers fermiers du Japon, avec notre élevage et notre restaurant ; quand nous nous sommes lancés, ton père et moi, j'ai eu l'impression de voir enfin la lumière au bout du tunnel. Mais...

– Mais ?

– Quand nous avons enfin pénétré dans cette lumière, la réalité était encore plus cruelle qu'à l'intérieur du tunnel. Nous ne savions plus quoi faire. Ni dans quelle direction aller.

– Vous voulez dire... les problèmes d'argent ?

– L'affaire a tout de suite sombré. Non seulement nos fromages n'étaient distribués nulle part, mais même sur place, personne ne nous en achetait. Après la faillite, j'ai pris la fuite. Je m'étais porté garant de ton père et je croulais sous les dettes. Je n'avais pas les moyens de rembourser. Alors, pour échapper à mes créanciers, la seule solution était de quitter la métropole.

– Je vois. »

Ryôsuke avala une gorgée de *shôchû* pour se donner du courage. Car il avait compris, dans le grondement de la tempête, que l'heure était venue de poser sa question.

« Hashi ?

– Quoi ? Je n'ai rien d'autre...

– Pardon, mais... »

Réticent, Hashi secouait faiblement la tête. Mais Ryôsuke ne recula pas :

« Après la disparition du père, la mère et l'enfant ont sans cesse déménagé. Et l'enfant s'inventait tous les jours des histoires, il vivait dans un monde imaginaire. Il ne s'agit donc de rien de plus que d'une invention. Mais l'ami qui travaillait avec le père n'aurait-il pas eu une liaison avec la mère ? »

Le regard dans le vide, Hashi se figea. Quelque chose vint frapper aux volets, porté par la tempête.

« Le père s'est peut-être suicidé à cause de ses dettes. Mais aussi… parce qu'il savait très bien que la mère ne l'aimait pas. Ce pauvre homme, devant son enfant, se demandait qui en était le père…

– Qu'est-ce que tu racontes ! cria Hashi. Ryôsuke, tu es bien le…

– Puisque je vous dis que c'est une invention ! »

Ryôsuke avait lui aussi haussé le ton. Tsuyoshi et Hanayo tressaillirent.

« L'ami, pour fuir ses créanciers, mais aussi pour rompre avec une femme, s'installe sur une île lointaine. Mais un jour, il apprend que son ami d'autrefois s'est donné la mort. Il se dit alors que plus jamais il ne pourra remettre les pieds en métropole, n'est-ce pas ?

– Non. Tu te trompes, Ryôsuke ! » protesta Hashi, des sanglots dans la voix.

Ryôsuke, agitant une main devant son visage, reprit :

« C'est une invention, je vous dis. Comme j'étais toujours seul, à une époque, j'ai inventé cette histoire que je vous raconte, rien de plus. »

Hashi ferma les yeux et frappa du poing sur la table. Le bruit fit sursauter les chèvres. Une profonde ride creusée entre ses sourcils froncés, il ouvrit la bouche sans regarder Ryôsuke :

« Ce que je veux dire…

– Oui ?

– C'est que tu as été aimé. Quand tu es né et qu'il t'a pris dans ses bras, ton père a dit : “Un nouveau monde est né.” Il t'aimait de toute son âme. Ne l'oublie jamais. »

Soudain, un sanglot lui échappa et il s'interrompit. Puis, en essuyant du bout des doigts ses joues mouillées, il s'excusa dans un murmure.

« Bien sûr, c'est ce que j'aurais voulu croire tout ce temps, répondit Ryôsuke d'une voix qui se brisa. J'aurais voulu y croire. »

Il était incapable de parler davantage. Tous deux restèrent muets, le regard baissé sur leurs genoux.

Le martèlement de la pluie sur le toit et les volets empirait, d'une violence parfois inouïe. La maison tremblait.

Ryôsuke, les yeux sur la flamme de la bougie, repensait à sa vie.

Du plus loin qu'il se souvienne, sa mère et lui avaient toujours vécu ici et là. Elle ne lui parlait pas en bien de son défunt père. Quand elle avait bu, il lui arrivait même de dire « le sang d'un couard coule dans tes veines ».

Il étouffa un soupir et serra son verre entre ses mains, comme pour s'y raccrocher.

Sous ses yeux, Hashi était prostré. Effondré à côté de la table basse, il était vidé, son visage squelettique tourné vers le plafond.

Lui aussi avait été seul ici.

Quand sa mère avait cessé de lui écrire.

Après avoir contemplé son visage un moment, Ryôsuke chuchota :

« Hashi, moi aussi, je vais soulager ma conscience. »

Il se leva en silence pour aller chercher son sac à dos dans la pièce voisine. Il en tira un paquet enveloppé dans un sachet en plastique qu'il posa délicatement sur la table basse.

Le paquet contenait une trentaine de lettres et quelques photos. Sa mère les avait précieusement gardées dans une boîte en carton.

La liasse d'enveloppes était du courrier adressé à sa mère depuis l'île d'Aburi, à raison d'une ou deux lettres par an. Toutes portaient le même nom d'expéditeur : Sôichi Hashida. Il y en avait aussi une de sa mère, sans doute la toute dernière de sa main. Adressée à Sôichi Hashida, elle était cachetée. Alors que son état de santé se dégradait, sans doute avait-elle rassemblé ses forces pour la rédiger, et rendu son dernier soupir avant de pouvoir la poster.

Que contenait la dernière lettre de sa mère ? Ryôsuke l'aurait su s'il avait décacheté l'enveloppe, mais il ne l'avait pas fait. L'une des raisons de sa venue sur cette île était qu'il souhaitait remettre en mains propres à Sôichi Hashida la dernière missive de sa mère. Ainsi que la photo d'elle jeune, bras dessus bras dessous avec un Sôichi Hashida ébloui.

Le visage de Hashi écroulé par terre, ivre mort, était déjà celui d'un vieil homme. Ses traits tannés par des années de soleil laissaient transparaître la solitude. Il avait beaucoup changé par rapport à la photo.

Ryôsuke prit son sac à dos et glissa à l'intérieur la lettre de Kaoru. Il y ajouta un couteau pris dans l'un des tiroirs de la cuisine. Puis il regarda Hashi en silence. Il jeta également un coup d'œil à Toshio et murmura « Merci ».

Lorsqu'il se dirigea vers l'entrée, Tsuyoshi et Hanayo, allongés sur le flanc, se levèrent pour s'approcher de lui. Il serra fort leurs têtes entre ses bras.

36

Il attendit un répit dans les hurlements du vent pour ouvrir la porte et se précipiter dehors.

Aussitôt pris dans un tourbillon qui le souleva, il faillit tomber. Il tenta de garder son équilibre, une main sur la porte qu'il venait de refermer, mais une puissante rafale le frappa de plein fouet. Il mit un genou à terre. Une grêle de coups s'abattait sur son visage et ses mains, de la pluie ou des gravillons, il n'aurait su dire. Garder les yeux ouverts était impossible. Il avança en rampant à moitié jusqu'à la camionnette, derrière laquelle il s'abrita du vent. Le véhicule qui vibrait de toutes parts avait glissé de plusieurs mètres de sa place de parking.

Dans le champ, les plants de canne à sucre étaient couchés. Ryôsuke ouvrit la portière de la camionnette et saisit le carreau d'arbalète sur le tableau de bord. Le projectile serré dans son poing, il s'engagea dans ce qu'il supposait être le sentier. Courbé, fermement planté sur ses pieds, il avança sur la pente noyée sous la boue. Il lui était impossible de se tenir droit. Le vent et la pluie le fouettaient à l'horizontale, déterminés à le renverser. Il progressa néanmoins pas à pas en direction du village, à la lueur de sa lampe frontale.

Lorsqu'il quitta le sentier boueux, quelque chose le blessa à la joue gauche. Une tuile ou une branche d'arbre peut-être, il ne savait dire. Les mains sur le visage, il resta un instant prostré sur la route. Les grosses gouttes de pluie qui le frappaient lavaient le sang qui coulait sur ses doigts.

Il se releva en poussant un grognement. Puis il progressa à travers les rues du village, l'une après l'autre, en direction de la maison du Président.

Il tomba à plusieurs reprises. La pluie le cinglait sans relâche. Avançant à genoux, il finit par arriver devant la maison.

À la lueur de sa lampe frontale, il distingua le cycas, toutes ses feuilles envolées, qui ployait tant qu'il semblait prêt à se rompre. Tous les volets étaient clos. À cause de la panne d'électricité, les parages étaient d'un noir d'encre. La masse sombre de la maison vacillait par petits à-coups.

L'institutrice était à l'intérieur. Sans doute était-elle forcée de boire en compagnie du Président.

« L'instit'... », murmura-t-il pour lui-même, et il lança le carreau d'arbalète de toutes ses forces.

Porté par le vent, le projectile vola en diagonale. Il s'enfonça dans les ténèbres sans même atteindre les volets.

Ryôsuke s'arracha au sol boueux et se dirigea vers l'étable. Les vaches n'étaient pas là.

Mais Buchi, si. L'emplacement était très exposé à la

tempête et la chèvre gisait sur le flanc, tel un vieux chiffon.

« Buchi ! »

À son approche, elle tenta de se relever. Tremblant de tous ses membres, elle chevrota faiblement.

Il sortit le couteau de son sac à dos et trancha la corde qui la retenait.

« Buchi ! » répéta-t-il.

Il lui caressa la tête. Elle bêla de nouveau, sans force.

Buchi dans ses bras, il contempla la maison du Président. La tempête faisait rage, effaçant tout signe de vie.

Dos au vent, il saisit son sac et l'ouvrit en grand. Il fit entrer Buchi à l'intérieur, par l'arrière-train. La chèvre se débattit, mais, très affaiblie, elle finit par se laisser faire. Il la rassura, « Ça va aller », et jeta sur son dos le sac dont dépassaient sa tête et ses pattes avant.

Il se mit en marche. Cerné par les ténèbres et la tempête, il traversa le village et gravit la côte qui menait au temple abandonné.

Les torrents d'eau qui dévalaient le sentier de montagne charriaient des cailloux et des morceaux de bois. L'endroit où Ryôsuke avait autrefois creusé une tranchée avait maintenant tout d'une rivière déchaînée. Déséquilibré par le courant, il continua sa progression, un pied après l'autre. La forêt palpitait dans l'obscurité, résonnait de bruits assourdissants. Buchi sur son dos, il mettait un genou à terre à chaque rafale de vent, se cramponnait à la végétation des deux mains. Alors qu'il connaissait bien le chemin, le spectacle révélé par la lumière de sa lampe frontale était partout celui d'un autre monde.

À chaque pas, il se débattait pour pouvoir grimper. Un instant, il crut entendre une voix humaine. À genoux dans l'eau ruisselante, il balaya du regard les ténèbres mouvantes à la lueur de sa lampe. Partout, la même chose. Des arbres dégoulinants. Une myriade de feuilles qui s'envolaient. Des cailloux charriés par la boue.

Il reprit son ascension. Il avait un peu avancé quand, le pied arrêté par une racine d'arbre, il perdit l'équilibre. Instinctivement, il protégea Buchi sur son dos et il tomba la tête la première. Il sentit une douleur fulgurante et en eut le souffle coupé. Paralysé, il fit sous lui. Un liquide tiède coula le long de ses cuisses battues par la pluie.

Il se redressa et tendit la main vers Buchi qui ne bêlait plus. À tâtons, il inspecta sa tête. Elle avait la chaleur de la vie.

« Je te ramène chez toi », lui dit-il en se relevant.

L'île se trouvait maintenant sans doute au cœur du typhon.

Sous la pluie et le vent déchaînés, les arbres géants de la forêt primaire tremblaient de toute leur hauteur. Le réseau de feuillage et de racines aériennes au-dessus de la tête de Ryôsuke avait été en grande partie balayé, des trous béaient par endroits dans les frondaisons. Un spectacle radicalement différent s'offrait à lui. Malgré tout, c'était bien la forêt primaire, le lieu où s'entremêlaient les racines d'arbres plusieurs fois centenaires.

Blotti contre un tronc d'arbre en guise de mur, il put

s'abriter du vent. Lorsqu'il dirigeait la lueur de sa lampe frontale vers le sol, il apercevait ici et là des oiseaux qui enduraient la tempête. Protégés du vent par les troncs d'arbre, ils étaient tapis dans les broussailles et derrière les rochers.

« Buchi, où sont les autres ? »

Ryôsuke avait enfin ôté son sac à dos. Il l'ouvrit et en sortit la chèvre. Elle tenta de se secouer pour se sécher, mais elle ne tenait pas debout. Quand elle essayait de se redresser, ses pattes avant cédaient, la faisant retomber sur la poitrine. Elle était terriblement affaiblie.

Il attrapa ses pattes avant et les frotta contre ses cuisses.

Buchi tenta de les raidir, mais elle semblait à bout de force. Malgré tout, à la lueur de la lampe, ses prunelles dorées fixaient Ryôsuke. Elles le regardaient, animées d'une volonté.

Il la remit dans le sac à dos et referma l'ouverture autour d'elle. Il l'avait reprise sur son dos, prêt à partir à la recherche du troupeau, lorsqu'il eut de nouveau l'impression d'entendre une voix.

La voix était tout près et semblait en même temps s'adresser à lui depuis un ailleurs lointain. Comme lorsqu'il l'avait entendue sur le sentier, son appel pénétrait au plus profond de lui et s'y réverbérait en un écho persistant. C'était douloureux ; il resta un moment immobile, les mains sur la poitrine.

Était-il vraiment seul ? Quelqu'un l'avait-il suivi ?

Il tourna la tête pour éclairer les environs de sa lampe. Mais à part les arbres tremblants et la pluie, il ne voyait rien. Ou plutôt si, il avait vu quelque chose : la grotte, encore elle. Elle ouvrait sa gueule ténébreuse, même dans la nuit. Comme si elle était son unique refuge.

Il fit un pas dans sa direction.

Au même moment, telle une explosion, une bourrasque fondit sur la forêt, faisant gémir tous les grands arbres. Une grosse branche avait sans doute cassé, car un bruit de déchirure retentit dans son dos. Il entra dans la grotte, comme projeté en avant.

À quatre pattes, se cognant aux rochers et bataillant, il fendit l'obscurité. De l'eau jaillissait de partout. Il avait les pieds dans une flaque. Un grondement nouveau résonnait et ébranlait les ténèbres. Malgré ce mugissement, le vent avait faibli. L'intérieur de la grotte était à l'abri des éléments déchaînés.

Ryôsuke éclaira de sa lampe frontale la paroi qui s'incurvait progressivement vers la gauche. De l'eau coulait du plafond et des côtés.

Au bout de quelques mètres, il retrouva les pierres et les creux à l'abri desquels il avait naguère déposé les caillés. Des flaques s'étaient formées partout, faisant disparaître tous les fromages. Submergé par l'inanité de ses efforts, il faillit se laisser aller. Mais il savait que ce n'était pas le moment de céder aux regrets. Il devait d'abord conduire Buchi en lieu sûr. Il se remit en marche.

La grotte se prolongeait en formant un coude. Par endroits, il avait de l'eau au-dessus des genoux.

Au moment où, déséquilibré, il faillit tomber, Buchi bêla dans son dos. Il crut alors entendre au loin des chèvres lui répondre. Était-ce l'écho de la voix de Buchi ? Ou bien…

À l'intérieur de la grotte, le mugissement du vent se mêlait à celui de l'eau qui s'écoulait en cataracte ; dans cette cacophonie, on aurait pu croire discerner des mots.

L'eau omniprésente formait des mares ou des tourbillons. Elle lui arrivait jusqu'aux cuisses, par endroits jusqu'aux fesses, et s'écoulait vers le fond de la grotte. Ryôsuke ne comprenait pas. Si elle avait communiqué avec les cavités dans la falaise, le sol de la grotte aurait dû monter. Pourquoi, alors, l'eau ruisselait-elle vers le fond ? Y aurait-il quelque part une ouverture vers une autre grotte, qui aspirait l'eau vers le bas ? Il tenta de regarder plus loin mais le relief tortueux l'en empêchait.

Fendant bruyamment l'eau, trébuchant à de nombreuses reprises, il continua à avancer.

Il avait vu juste. Au pied d'un raidillon, un bassin s'était formé. Même à la lueur de sa lampe, il distinguait nettement un puissant tourbillon. De l'autre côté, l'eau s'écoulait dans le sens opposé. Il ne l'avait jamais remarqué malgré ses nombreuses visites, mais la grotte, au fond, se divisait en deux branches. Il se tenait à la base de ce V. Sous le remous se trouvait sans doute l'ouverture d'une autre grotte, qui aspirait l'eau.

Il s'immobilisa. Dans son dos, Buchi chevrota de nouveau. Encore une fois, il eut l'impression d'entendre des chèvres répondre, plus loin.

En prenant garde à ne pas se laisser emporter par le courant, il progressa le long de la paroi, pas à pas. Il traversa le passage où l'eau était profonde et parvint tant bien que mal jusqu'au raidillon.

Il se produisit alors quelque chose d'imprévu.

La lumière de sa lampe frontale faiblit soudain. Son

champ de vision rétrécit. Il n'avait pas de piles de rechange. Combien de temps la lumière tiendrait-elle encore ? Il n'en avait aucune idée.

Peut-être ferait-il mieux de rebrousser chemin tout de suite. Il risquait de se trouver coincé ici avec Buchi.

Cette idée l'effleura, mais il ne pouvait pas renoncer à l'appel des chèvres qu'il lui semblait avoir entendu au loin. Si ce n'était pas un tour de son imagination, le troupeau était sûrement dans les parages. Quand il s'était aventuré là, il avait trouvé des crottes de chèvres. Plusieurs d'entre elles étaient passées par là, il en était certain. Dans ce cas, les animaux n'étaient plus loin. Cachés, sans craindre l'obscurité.

Inversement à sa lampe qui faiblissait, sa détermination allait grandissant. S'il leur ramenait Buchi, il aurait fait son devoir. Même s'il devait mourir ici, il serait allé jusqu'au bout, sans échouer.

Il abandonna l'idée de faire demi-tour et s'enfonça plus avant. Mais, depuis qu'il avait dépassé le bassin, Buchi avait beau bêler dans son dos, les autres ne répondaient plus.

Au bout d'un moment, la lumière déclina encore. Il n'était plus question de revenir en arrière.

Ryôsuke franchit un coude au fond de la grotte. Un vaste espace s'ouvrit devant lui. Il s'arrêta.

Dans un premier temps, il ne comprit pas ce qui s'offrait à ses yeux. La lumière vacillante de sa lampe frontale révélait des formes et ce qui ressemblait à des lambeaux de tissu éparpillés çà et là.

Il plissa les yeux. Avança d'un pas et saisit l'une de ces étranges choses.

Il comprit alors. C'était un crâne de bête.

Le souffle coupé, il regarda autour de lui.

Partout, des os d'animaux. Des ossements empilés à perte de vue.

Il reposa avec soin le crâne qu'il tenait à la main. Un peu plus loin, il y avait un cadavre encore recouvert de sa peau, quasiment intact.

Mais pas une seule chèvre vivante.

Ryôsuke poussa un profond soupir et ferma les yeux. À genoux, il frappa d'une main le sol de la grotte. Puis il tourna les talons et repartit à toutes jambes dans la direction d'où il était venu.

Sa lampe n'offrait plus qu'un rai de lumière. Il trébucha sur un caillou et tomba, haletant. Il tentait d'avancer, mais ne parvenait qu'à se démener sur place.

La lumière finit par s'éteindre sans un bruit. Les ténèbres l'enveloppèrent.

Il s'efforça de garder en tête la direction dans laquelle il devait progresser. Mais il était désorienté. Tentant d'avancer malgré tout, il se cogna contre un rocher et tomba à genoux. Cela suffit à transformer l'obscurité en néant. Il n'existait plus ni traces ni direction, ni milieu ni périphérie. Il ne savait plus du tout où il était. Qu'il garde les yeux ouverts ou fermés ne changeait rien. Seuls subsistaient les bêlements épisodiques de Buchi dans son dos, et l'écho de la cacophonie du vent et de l'eau, comme émergeant des ténèbres.

37

En rampant sur les rochers et dans la boue, Ryôsuke tenta de retourner vers le tourbillon, avec son seul instinct pour guide. Son esprit vagabondait dans tous les sens.

Ce qu'il avait vu juste avant que la lampe ne s'éteigne. S'il ne s'agissait pas d'une hallucination, c'était sûrement le cimetière des chèvres. Si la Caverne des vaincus était la grotte où l'on abandonnait les vieillards, ici étaient les ténèbres où plongeaient les chèvres qui sentaient leur fin venir.

Voilà où il s'était égaré, avec Buchi affaiblie. Là où même la lumière l'avait abandonné. Pour lui qui tentait de rendre Buchi aux siens, de mettre un terme à ces jours marqués du sceau de la défaite, cette conclusion semblait abrupte.

Calme-toi. Assieds-toi ici et patiente jusqu'à ce qu'une idée te vienne, chuchotait une voix en lui.

Non, pas ici. Tu ne peux pas mourir dans ces ténèbres, objectait une autre voix.

Son corps se cognait ici et là, cherchant à repérer le sens du courant du bout des doigts. Ce n'était pas parce qu'il ignorait dans quelle direction aller qu'il progressait à l'aveugle. Ses doigts, sa peau brûlaient de savoir dans quel sens coulait l'eau.

Combien de temps se débattit-il ainsi ? Dans l'obscurité, même le temps semblait s'être dissous et il ne savait plus dire si quelques petites heures ou une bonne demi-journée s'étaient écoulées.

Buchi était encore vivante. Même faible, elle chevrotait quand il lui parlait ou lui caressait la tête.

À un moment, il se rendit compte qu'il baignait dans l'eau jusqu'aux fesses. Il entendait un clapotis, il sentait aussi nettement le courant.

Était-il revenu jusqu'au bassin ? Entre deux vertiges, il repensa aux vagues du tourbillon vues à la lumière de sa lampe frontale.

Quelle direction était la bonne ?

À chaque pas, il s'enfonçait plus profondément. La surface de l'eau invisible lui arrivait maintenant à la taille. Le grondement enflait. Le courant qui venait buter contre son corps avait gagné en puissance, sans commune mesure avec ce qu'il avait été.

Soudain, il sentit le tourbillon.

Il tenta de faire un pas en arrière, mais il glissa et s'enfonça dans l'eau. Il poussa un hurlement déchirant. Son corps fut entièrement immergé en un clin d'œil. Instinctivement, il posa une main sur Buchi toujours dans son dos. Il donna un coup de talon pour remonter, en vain. Dans les ténèbres, le mur d'eau l'engloutit. Son genou cogna contre un rocher. Il était aspiré. Il tombait. C'est tout ce qu'il comprit.

Il entendait de l'eau couler, tout près.

Ses doigts rencontrèrent quelque chose de dur.

Il était allongé sur le côté.

Que faisait-il là ? Pendant un moment, Ryôsuke ne comprit pas. Il croyait avoir ouvert les yeux, mais des ténèbres avaient seulement remplacé d'autres ténèbres.

Puis, petit à petit, il se rappela. La lampe qui s'était éteinte. Les ossements de chèvre.

« … Buchi ? »

Ses lèvres murmurèrent juste le nom de l'animal.

Il bougea lentement la main gauche. Chercha dans son dos. Rien. Son sac à dos avait disparu.

Incapable de bouger, il resta immobile.

Il entendait toujours l'eau.

Il tenta de bouger, mais cela lui faisait peur.

Il releva précautionneusement les pieds.

Il s'escrimait, mais où étaient ses pieds ?

Qu'étaient devenues ses jambes ? Il n'en savait trop rien.

Quelque chose de lourd pesait sur son ventre.

À nouveau, il perdit conscience.

Il entendait de l'eau couler.

Il ouvrit les yeux. Rien. Il s'était dissous dans les ténèbres.

Il remua la main gauche. Toucha ce qui lui sembla être de la roche. C'était froid. C'était comme s'il caressait la surface de l'eau. Il essaya ensuite de tendre le bras droit, réalisa que son corps était plié en deux.

Il se redressa en prenant appui sur ses deux mains. Mais il ne comprenait rien. Dans quelle position se trouvait-il ? Il savait seulement que de l'eau s'écoulait de son cou et de ses épaules. Il sentit bientôt des éclaboussures.

Le bruit enfla. On aurait dit que ce n'était pas le vacarme de la cataracte qui avait augmenté, mais plutôt son ouïe qui revenait de loin. Des douleurs lancinantes se réveillèrent, elles aussi. Chaque partie de son corps paraissait tuméfiée.

Il tendit le bras droit et palpa ses genoux, ses chaussures. Il avait des sensations dans les mains et dans les jambes.

« Buchi, murmura-t-il. Buchi ! »

Il cria ensuite :

« Buchi ! »

Ses appels résonnaient sans fin. Il tendit l'oreille, guettant un bêlement, un seul. Mais il n'entendit rien d'autre que le bruit de l'eau. Elle tombait en cascade, tout près. C'était tout ce qu'il savait.

Malgré une douleur fulgurante dans le genou, il parvint tant bien que mal à se lever. Son corps heurta aussitôt la paroi rocheuse. Il la parcourut à tâtons, tentant d'en dessiner mentalement le relief. Mais il n'y parvenait pas. Ici aussi, l'eau formait un bassin. Au bout de quelques pas, le courant le déséquilibra.

« Il y a quelqu'un ? » cria-t-il de toutes ses forces.

Sa voix se répercutait à travers les ténèbres. C'était sa voix, sans le moindre doute, mais elle lui semblait parfaitement étrangère. Comme si quelqu'un d'autre était tapi dans l'obscurité.

Son cœur se mit soudain à battre à tout rompre. Il sentit son corps se couvrir de sueur.

Il se jeta à quatre pattes. Il chercha à deviner ce qu'il y

avait sous l'eau. Il frôla alors quelque chose qui ressemblait à du tissu. Il tendit la main. La passa sur la chose. S'en assura de ses cinq doigts.

C'était son sac à dos.

« Buchi ! » hurla-t-il encore une fois.

Il criait, pantelant. Il avait voulu protéger un être vivant et l'avait entraîné dans quelque chose de terrible. Sans doute que…

« Buchi ! »

Il chercha autour de lui. Ne rencontra rien de doux sous ses doigts. Que de la pierre. Mais il ne renonça pas.

Peut-être Buchi gisait-elle quelque part, incapable d'émettre le moindre bêlement. Peut-être respirait-elle encore, même faiblement. Si c'était le cas, il devait à tout prix la trouver.

« Buchi ! »

Soudain, il devina une présence. Il sentit un souffle chaud approcher dans son dos. Dans l'obscurité, il se retourna et tendit prudemment la main.

Il perçut quelque chose de doux, comme de la fourrure.

L'odeur de l'haleine d'un être vivant.

On lui léchait la nuque.

« Buchi… »

La tête de l'animal se posa sur son épaule. Une paire de cornes dures se pressait contre lui.

« C'est toi ! »

Il attira Buchi contre lui. Et la garda serrée dans ses bras.

Combien de temps s'écoula-t-il ensuite ? Il n'en avait pas la moindre idée.

L'homme et la bête avancèrent pas à pas en suivant le courant. Ryôsuke se cognait aux rochers, trébuchait sur les aspérités du relief, mais il suivait Buchi, confiant.

Elle était capable de faire des cabrioles sur le flanc d'une falaise. De vivre là où il n'y avait pas d'eau. La ténacité était le propre des chèvres, lui avait un jour expliqué Hashi. Il le constatait, derrière Buchi qui cherchait son chemin dans le noir.

Au terme de leur errance dans les ténèbres, alors qu'exténué il s'était allongé sur la roche avec son sac à dos pour oreiller, il entendit sous le ruissellement de l'eau un murmure à la fois proche et lointain.

Il se redressa. Il en avait clairement identifié l'origine.

La main sur l'échine de Buchi, il reprit sa progression, un pas après l'autre. Il escalada des rochers à l'aveuglette, avança en prenant garde de ne pas s'éloigner du lit du cours d'eau souterrain.

Dans l'obscurité, il lui sembla apercevoir une forme indistincte qui vacillait, comme en suspens. Il crut d'abord à une illusion d'optique. Mais il eut beau se frotter les yeux, la forme ne disparaissait pas. Elle s'imposait à son regard.

Il ne lui fallut guère de temps pour comprendre qu'il s'agissait d'une faible lueur. Il se précipita en avant. La roche pâle lui apparut confusément. Quelques silhouettes, aussi.

C'étaient des statuettes de bouddha.

À côté d'elles, une forme qu'il connaissait.

Le bateau en bois.

Quand il avait pénétré dans la caverne depuis le rivage, l'obscurité régnait ici. Il ne distinguait rien sans sa lampe frontale. Mais maintenant qu'il renaissait des ténèbres, il parvenait à distinguer des silhouettes.

« Buchi. »

Il s'agrippa au plat-bord, un genou à terre.

Des larmes de soulagement lui montèrent aux yeux. Dans l'obscurité, Buchi émit un bêlement. Sa voix était rocailleuse, sèche.

Sans même essuyer ses larmes, Ryôsuke se remit en marche, chancelant.

Peu à peu, la roche et les bouddhas lui apparurent plus nettement. Le murmure du ressac recouvrit celui de l'eau qui ruisselait.

Quand il dépassa le coude formé par la grotte, la lumière le frappa de plein fouet. Les yeux blessés, il se couvrit le visage des mains. Il dut rester ainsi un moment tellement les rayons de soleil qui pénétraient dans la caverne étaient puissants.

Buchi s'était elle aussi immobilisée devant lui.

Une chèvre crasseuse, tout en cornes.

« Buchi… va brouter de l'herbe. »

Une main sur les yeux, il lui caressa l'échine.

L'homme et la bête se remirent en marche vers l'entrée de la caverne, titubants. Ils parvinrent non sans mal jusqu'au point où la mer était visible. Pris d'un vertige, Ryôsuke se laissa choir près d'un bouddha en pierre. Buchi avança lentement vers la lumière. Son pelage souillé de boue et de sang était tout noir.

Ryôsuke resta longtemps assis. Entouré de statuettes, il regardait la mer par l'ouverture de la caverne.

Le typhon était passé, semblait-il. La houle était forte

et les embruns fouettaient les rochers, mais le ciel d'un bleu pur se reflétait à la surface de l'eau, elle aussi bleue à perte de vue.

Il s'était approché tout près du rivage, mais il n'avait aucune envie d'en gagner la lumière.

La faim l'avait quitté depuis longtemps, il ne lui restait plus une once de force. Depuis l'instant où il avait compris qu'il parviendrait à sortir, l'épuisement l'avait submergé. Plus que tout, il pensait à la difficulté d'expliquer aux gens de l'île ce qui lui était arrivé. Les rayons du soleil symbolisaient, en un sens, le quotidien sur l'île. S'il retournait là-bas, il serait sanctionné, et surtout il devrait leur rendre Buchi.

Que faire ? Il était désemparé.

Il resta assis, pareil aux bouddhas de pierre qui l'entouraient. Les yeux rivés sur la mer, il s'effondra, comme évanoui.

38

Lorsqu'il reprit ses esprits, c'est une mer aux reflets dorés qui lui apparut à l'extérieur de la caverne. Le crépuscule devait être proche.

Il se débarbouilla avec l'eau de la rivière souterraine et but. Puis il se mit en marche d'un pas mal assuré. S'agrippant aux statuettes sur son chemin, il émergea de la caverne. Le soleil aux rayons moins ardents l'enveloppa.

Buchi s'approcha d'un pas léger. Elle avait sûrement brouté tout son saoul, car elle était plus en forme qu'il ne l'espérait.

« C'est chouette, hein, Buchi. »

Ryôsuke s'assit parmi les *jizô* sur la grève. Il s'allongea sur le dos et, bercé par le murmure des flots, regarda les couleurs du soleil couchant se mêler dans le ciel. Soudain, une faim dévorante s'empara de lui.

Buchi vint frotter son museau contre sa hanche. En même temps, elle continuait à ruminer l'herbe broutée alentour et mastiquait tranquillement.

Ryôsuke se rassit, les bras autour des genoux, et pensa à se nourrir. Un éclair de génie le frappa alors. Pourquoi n'y avait-il pas pensé plus tôt ? Il eut l'impression qu'à l'intérieur de son corps, tous ses organes protestaient.

Au fond de la caverne, il y avait le bateau qui transportait les morts. Mais si personne n'était venu ici depuis ce fameux jour, ce qu'il transportait, pour l'heure, c'était les caillés qu'il y avait déposés.

Il tituba jusqu'à la caverne, retourna tout au fond. À l'approche du crépuscule, de l'autre côté du coude formé par les parois, l'obscurité était totale, mais il connaissait maintenant les lieux.

Il avança pas à pas vers la masse du bateau qu'il savait se trouver là. Les mains tendues devant lui, il progressait lentement, dans l'espoir de toucher autre chose que de la roche.

Après plusieurs tentatives, ce fut non pas sa main, mais sa cuisse qui heurta le flanc du bateau. Dans l'obscurité, il fit courir ses doigts sur le plat-bord. Lorsqu'ils rencontrèrent la corde qui retenait les rames, il sut enfin à quel endroit de l'embarcation il se tenait.

À l'idée qu'il allait peut-être mettre la main sur de la nourriture, une douleur lui traversa l'intérieur des joues. Des picotements chauds envahirent soudain son estomac et se propagèrent dans tout son corps.

C'était sur le banc de nage qu'il avait déposé des caillés et des chèvres sur une feuille d'aluminium, pour mener ses expériences d'affinage. Il tendit la main vers la poupe, dans la direction où, de mémoire, ils auraient dû être. Ses doigts trouvèrent le banc de nage sans trop de peine. Il allongea un peu plus le bras. Mais il avait beau palper la planche avec impatience, les fromages n'étaient nulle part. Même la feuille d'aluminium avait disparu.

Sa déception fut immense. Faire entendre raison à son corps qui s'était éveillé ne fut pas chose aisée non plus.

Les souris ont-elles tout mangé ? Ce fut là sa première pensée. Ou alors, un des hommes de l'île était-il venu faire le ménage ?

Agrippé au plat-bord, il resta immobile un moment. À deux doigts de perdre conscience, il manqua s'affaler sur place à plusieurs reprises, les doigts crispés sur le rebord du bateau.

Mais il gagna l'arrière, toujours en tâtonnant, et s'accroupit, l'épaule contre la poupe. Il tenta de pousser. Le bateau gémit et avança de quelques dizaines de centimètres. Le souffle court, il s'accroupit de nouveau, poussa encore de l'épaule et des mains. Cette fois-ci, le bateau bougea à peine, peut-être bloqué par une pierre. Ryôsuke rampa vers l'étrave et lança les pierres trouvées devant la proue en direction de la rivière souterraine, au milieu de la caverne. La main toujours sur le plat-bord pour se guider, il retourna à l'arrière et se remit à pousser. Il progressait parfois d'un coup et, à d'autres moments, d'à peine quelques centimètres ; il s'asseyait fréquemment. Le bateau, plus grand qu'une barque normale, pesait lourd. Même en pleine forme, cela aurait été un tour de force.

Malgré tout, il s'acharnait à pousser et faisait avancer le bateau des morts, petit à petit.

Il réussit enfin à l'engager dans le lit de la rivière souterraine. Le bateau devint alors beaucoup plus facile à manœuvrer. Entraîné par l'eau qui coulait en abondance des ténèbres, il glissait par moments sans avoir à être poussé.

Il dépassa enfin le coude formé par la caverne. Elle était baignée d'une lumière d'un gris bleuté. Dehors, le soleil était couché, et la nuit approchait.

Le bateau glissait. Ryôsuke se contentait de le retenir d'une main.

L'ovale de paysage découpé par l'entrée de la caverne brillait d'une lueur étrange, tandis que la nuit s'installait. La multitude de statuettes, les embruns soulevés par les écueils, l'eau de la rivière souterraine et, plus loin, la mer crénelée de vagues, tout scintillait, prêt à accueillir le bateau. À l'approche de l'entrée de la caverne, sa silhouette se révéla sous une douce lumière bleutée.

Il était peint en blanc. Et au fond avaient roulé quelques fromages.

Incapable de stopper l'élan du bateau, Ryôsuke s'agrippa au plat-bord et dévala la pente à sa suite.

À l'endroit où la caverne rejoignait la grève, le bateau buta sur une pierre et s'immobilisa enfin.

La pleine lune qui venait d'apparaître dans le ciel faisait tout scintiller. Le bateau, Ryôsuke, les chèvres par terre, tout était baigné par ses rayons lointains.

Ryôsuke, vacillant, tendit la main vers le fond de la cale. Les chèvres qui y gisaient au clair de lune lui parurent d'un blanc différent de celui du bateau. Ils tiraient sur le vert.

Il en attrapa un, qu'il posa sur la paume de sa main et l'approcha de ses yeux. Malgré la faible lumière, c'était net : une flore vert pâle le recouvrait.

Il cligna des yeux à plusieurs reprises et prit une profonde inspiration, sans parvenir à calmer son cœur qui battait la chamade.

Ce chèvre n'avait plus rien à voir avec ses fromages ratés. C'était un vrai fromage affiné. Le lait de Hanayo, au repos dans la Caverne des vaincus, s'était épanoui pour donner ce fromage extraordinaire qu'on appelle persillé, et qu'il avait maintenant sous les yeux.

De ses doigts frémissant d'impatience, il en détacha un morceau. Pas d'erreur. Comme le roquefort, de pâles veines de moisissures se déployaient à l'intérieur.

D'une main tremblante, il porta le morceau de persillé à sa bouche et le déposa sur sa langue, seulement humectée par l'eau de la rivière souterraine. Il le mastiqua lentement. Sa saveur se déploya. C'était le parfum de l'île, des flaques de soleil dans la forêt. Un bouquet subtil et chatoyant explosait sur son palais, dans sa gorge, entre ses joues. C'était un arôme qu'il n'avait encore jamais goûté. Une fragrance pleine de légèreté s'en dégagea, embaumant ses narines.

Derrière ce parfum, la figure de Hanayo se présenta à lui. La silhouette de Pûno sautillant flotta aussi. Les prunelles humides de l'institutrice, la gibecière de Toshio, les visages de Hashi, Tachikawa et Kaoru, leurs mots… surgirent et s'évanouirent. Et puis les jours passés avec sa mère, à vivre ici et là. Le visage flou mais souriant de son père.

Il ferma les yeux et s'essuya doucement les joues.

Il pleurait, réalisa-t-il.

Buchi approcha discrètement et se serra contre lui.

Il l'étreignit de toutes ses forces.

Quand il acheva ses préparatifs, la lune n'était pas encore au zénith.

Sans doute les vents poussés par le typhon jusqu'à l'intérieur de la caverne avaient-ils balayé les persillés posés sur le banc de nage. Il en restait encore beaucoup au fond du bateau. Ryôsuke en dégusta plusieurs, étanchant sa soif à l'eau de la rivière qui coulait dans la caverne.

Le clair de lune étonnamment lumineux lui permettait de s'activer comme en plein jour. Il ramassa une dizaine de bouteilles en plastique échouées sur le rivage, qu'il remplit de l'eau de la rivière souterraine. Il avait aussi trouvé une grande bâche en vinyle qui lui permettrait de s'abriter du soleil ; il la déposa dans le bateau avec son sac à dos. Le projet dans lequel il s'embarquait pourrait prendre deux ou trois jours, il coupa donc sur le rivage des brassées d'herbe qui serviraient à nourrir Buchi. Il les entassa sous le banc de nage.

La houle apaisée, la mer clapotait placidement dans la nuit lumineuse. Ryôsuke prit Buchi dans ses bras et la déposa dans le bateau. Ensuite, il pesa de tout son poids sur l'embarcation immobilisée par une pierre pour la remettre dans le lit de la rivière.

Le bateau glissa en heurtant pierres et cailloux avec fracas. Buchi bêla, mais sans tenter de sauter par-dessus bord. Ryôsuke poussait à la poupe, guidant le bateau dans sa course vers la mer.

Deux grosses vagues le bousculèrent, l'arrosèrent d'embruns. À l'instant où l'étrave fendait l'eau, Ryôsuke, grimpé sur un rocher, sauta à l'arrière. Buchi, muette, se tenait droite sur ses pattes. Il s'assit sur le banc de nage et plongea les rames dans l'eau.

Il souqua ferme pour quitter le rivage. Le bateau louvoya entre les écueils, ballotté de droite et de gauche. Ils laissèrent rapidement derrière eux le débarcadère à demi éboulé. Sous le clair de lune, se découpait chacune des statuettes dressées à l'entrée de la caverne. C'était comme si elles les regardaient partir. Comme si ceux qui avaient vécu autrefois leur disaient adieu à eux, deux êtres vivants à bord du bateau des morts.

Mais Ryôsuke, qui ramait le dos tourné à la proue, n'eut pas le loisir de s'abandonner à ces sentiments. Si le bateau s'échouait, c'en serait fini de lui. À chaque coup de rames donné avec précaution, il regardait par-dessus son épaule pour s'assurer de sa direction.

« Si on passe les écueils, on survivra », annonça-t-il d'une voix tendue à sa compagne de voyage. Et il continua à souquer. Encore. Et encore.

Lorsqu'il eut franchi les derniers brisants, là où il n'y avait plus à craindre de faire naufrage, le bateau fut porté par les courants qui longeaient la façade sud de l'île. Chaque coup de rame dans l'eau laissait une jolie trace phosphorescente. Des centaines de millions de noctiluques faisaient chemin avec eux.

Ryôsuke ramait lentement, au rythme de sa respiration régulière.

Les falaises de l'île se dressaient sous ses yeux. Leur silhouette ressortait dans le ciel étoilé, la roche et la végétation luisant faiblement au clair de lune.

Le bateau, porté par le courant, s'éloignait peu à peu de l'île sans qu'il ait à ramer.

Il lui faudrait changer de direction à un moment ou un autre, se dit-il. Quitter le courant lorsqu'il serait de l'autre côté de l'île et, à partir de là, souquer en direction du nord-ouest, vers la lointaine île d'Aigaki.

Buchi approcha soudain sa tête de Ryôsuke qui ramait. Il lui caressa le dos et elle le poussa du museau.

« Si tu comprenais ce que je dis… », commença-t-il, mais il se reprit : Buchi comprenait tout.

Des bancs de petits poissons nageaient dans le courant. De temps à autre, un plus gros poisson venu des profondeurs s'en prenait à eux. Les plus petits s'enfuyaient alors dans un clapotis. Les noctiluques luisaient, épousant leurs contours en une ceinture bleutée qui flottait sur l'eau.

Dans le murmure des vagues, Ryôsuke crut encore une fois entendre une voix. Celle qu'il avait entendue dans la tempête, sur les flancs du mont Aburi. Ce n'étaient pas des mots, plutôt un écho qui semblait entrer en résonance avec ses souvenirs de son père. Ou la voix du vent lorsqu'il accueille une vie nouvelle, fruit de l'éternel recommencement du vivant.

Ryôsuke ramait lentement. Il distinguait maintenant l'île entière, sa silhouette qui se découpait dans la nuit. Il s'en était bien éloigné.

Il répéta alors à voix haute ce que lui avait appris Hashi, les paroles prononcées par son père à sa naissance :

« Un nouveau monde est né. »

Il cessa de ramer pour sortir un persillé de sous le banc de nage. Il le mangea et les parfums de la forêt se déployèrent sur son palais.

Buchi, couchée au milieu du bateau, regardait l'île s'éloigner.

La pleine lune flottait dans le ciel. La Voie lactée, visible elle aussi, paraissait un peu pâle en comparaison.

Il serait bientôt temps de changer de direction.

Ryôsuke se reprit et saisit les rames. Chaque fois qu'elles plongeaient dans l'eau, les noctiluques scintillaient. Le sillage du bateau brillait de la flamme pâle d'une myriade d'existences.

DU MÊME AUTEUR

Aux Éditions Albin Michel

LES DÉLICES DE TOKYO, 2016.

Composition Nord Compo
Impression CPI Bussière en avril 2017
Éditions Albin Michel
22, rue Huyghens, 75014 Paris
www.albin-michel.fr
ISBN : 978-2-226-39625-9
N° d'édition : 22537/01 – N° d'impression : 2027396
Dépôt légal : mai 2017
Imprimé en France